DU MÊME AUTEUR

Aux Éditions Gallimard

L'ENFANT VOLÉ

LES CHIENS NOIRS

SOUS LES DRAPS ET AUTRES NOUVELLES

DÉLIRE D'AMOUR

AMSTERDAM

EXPIATION

SAMEDI

SUR LA PLAGE DE CHESIL

SOLAIRE

OPÉRATION SWEET TOOTH

L'INTÉRÊT DE L'ENFANT

Aux Éditions Gallimard Jeunesse

LE RÊVEUR

Aux Éditions du Seuil

LE JARDIN DE CIMENT

UN BONHEUR DE RENCONTRE (Folio n° 3878)

L'INNOCENT (Folio n° 3777)

Du monde entier

IAN McEWAN

DANS UNE
COQUE DE NOIX

roman

*Traduit de l'anglais
par France Camus-Pichon*

GALLIMARD

Titre original :

NUTSHELL

Pour Rosie et Sophie

« Ô Dieu, je pourrais être enfermé
dans une coque de noix et m'y sentir
roi d'un espace infini, n'était que j'ai
de mauvais rêves. »

SHAKESPEARE, *Hamlet*
(Trad. Jean-Michel Déprats,
Éditions Gallimard, 2002.)

1

Me voici donc, la tête en bas dans une femme. Les bras patiemment croisés, attendant, attendant et me demandant à l'intérieur de qui je suis, dans quoi je suis embarqué. Mes yeux se ferment avec nostalgie au souvenir de l'époque où je dérivais dans mon enveloppe translucide, où je flottais rêveusement dans la bulle de mes pensées à travers mon océan privé, entre deux sauts périlleux au ralenti, heurtant doucement les limites transparentes de ma réclusion, la membrane révélatrice qui résonnait, tout en les atténuant, des voix de comploteurs unis par un projet ignoble. C'était au temps de ma jeunesse insouciante. Là, entièrement retourné, sans un centimètre à moi, les genoux repliés contre mon ventre, mes pensées comme ma tête sont bien engagées. Je n'ai pas le choix, mon oreille est plaquée jour et nuit contre ces parois sanguinolentes. J'écoute, je prends mentalement des notes, et je suis troublé. Je distingue des confidences funestes sur l'oreiller et je suis terrifié par ce qui m'attend, par ce à quoi je risque d'être mêlé.

Je suis immergé dans des abstractions, et seules leurs relations proliférantes créent l'illusion d'un monde connu.

Quand j'entends « bleu », que je n'ai jamais vu, j'imagine une sorte d'événement mental assez proche de « vert » — que je n'ai jamais vu. Je me considère comme un innocent sur qui ne pèsent ni allégeances ni obligations, un esprit libre, malgré l'exiguïté de mon séjour. Personne pour me contredire ou me réprimander, pas de nom ni d'ancienne adresse, pas de religion, de dettes, d'ennemis. Sur mon agenda, s'il existait, ne serait notée que ma date de naissance à venir. Je suis, ou j'étais, contrairement à ce que disent aujourd'hui les généticiens, une ardoise vierge. Mais une ardoise glissante, poreuse, dont aucune salle de classe ni aucun toit de cottage n'aurait l'usage, une ardoise qui se couvrirait elle-même de caractères jour après jour, à mesure qu'elle grandirait et deviendrait moins vierge. Je me considère comme un innocent, mais il semble que je sois mêlé à un complot. Ma mère, béni soit son cœur à l'incessant bruit de pompe, semble impliquée.

Semble, Mère ? Non, *est*. Tu l'es. Tu es impliquée. Je le sais depuis mon début. Laissez-moi l'évoquer, ce moment de création arrivé avec mon premier concept. Il y a longtemps, il y a des semaines, mon tube neural s'est refermé pour devenir ma colonne vertébrale, et mes millions de jeunes neurones, affairés comme des vers à soie, ont filé et tissé avec leurs axones la somptueuse étoffe dorée de ma première idée, une notion si simple qu'elle m'échappe désormais en partie. Était-ce « moi » ? Trop complaisant. Était-ce « maintenant » ? Dramatique à l'excès. Alors quelque chose d'antérieur aux deux, contenant les deux, un seul mot traduit par un soupir d'aise ou par l'extase de l'acceptation, de l'existence à l'état pur, quelque chose comme : « ceci » ? Trop précieux. Pour se rapprocher de mon idée, disons donc : « être ». Ou à défaut sa variante conjuguée : « est ». Telle était ma notion originaire, et voilà bien l'enjeu : ce « est ». Rien que ça. Dans le même esprit que : *Es muss sein.* Le début de la vie consciente représentait la fin de l'illusion, l'illusion du non-être, et l'irruption du réel. Le triomphe du réalisme sur la magie, de « est » sur « semble ». Ma mère *est* impliquée dans un complot, donc je le suis moi aussi, encore que mon rôle soit peut-être de le déjouer. Ou bien, si j'arrive trop tard, comme le dindon de la farce, de me venger.

Mais je ne me plains pas de mon sort. J'ai su d'emblée, quand j'ai déplié le drap d'or enveloppant le trésor de ma conscience, que j'aurais pu tomber plus mal, en des temps bien plus ingrats. Le tableau d'ensemble est déjà clair, en comparaison duquel mes soucis personnels sont négligeables, ou devraient l'être. Il y a tout lieu de se réjouir. J'hériterai de la modernité (hygiène, vacances, anesthésie, lampes de bureau, oranges l'hiver) et habiterai un coin privilégié de la planète : l'Europe de l'Ouest bien nourrie, épargnée par les épidémies. L'ancienne *Europa* sclérosée, relativement bienveillante, tourmentée par ses fantômes, vulnérable à la tyrannie, peu sûre d'elle, destination préférée de millions de malheureux. Mon environnement immédiat ne sera pas l'aimable Norvège — mon premier choix, compte tenu de son gigantesque fonds souverain et de sa généreuse protection sociale ; ni mon second choix, l'Italie, pour sa cuisine régionale et son délabrement inondé de soleil ; ni même mon troisième, la France, pour son pinot noir et son égoïsme enjoué. À la place, je recevrai en héritage le royaume pas franchement uni d'une reine âgée mais estimée, où un prince homme d'affaires, connu pour ses bonnes œuvres, ses élixirs (essence de chou-fleur pour purifier le sang) et ses interventions anticonstitutionnelles, attend impatiemment sa couronne. Telle sera ma demeure, et je m'en accommoderai. J'aurais pu naître en Corée du Nord, où la succession est tout aussi incontestée, mais où la liberté et la nourriture manquent.

Comment se fait-il que moi, pas même jeune ni même né d'hier, j'en sache si long, assez pour me tromper sur tant de choses ? J'ai mes sources, j'« écoute ». Trudy, ma mère, quand elle n'est pas avec son ami Claude, aime la radio et préfère les paroles à la musique. Qui aurait prévu, à l'avènement d'Internet, l'engouement croissant pour la radio, ou la renaissance de cette expression archaïque : « sans fil » ? Par-dessus les bruits de laverie automatique de l'estomac et des intestins, j'entends les informations, sources de tous les mauvais rêves. Mû par une pulsion autodestructrice, je tends l'oreille pour suivre analyses et débats. Les bulletins répétés à l'heure juste, le rappel des titres toutes les demi-heures ne m'ennuient pas. Je tolère même le BBC World Service et ses puérils coups de trompettes et de xylophone entre les émissions. Au milieu d'une longue nuit calme, il m'arrive de donner un bon coup de pied à ma mère. Elle se réveille, cède à l'insomnie, prend la radio. Un divertissement cruel, certes, mais au matin nous sommes tous deux mieux informés.

Elle aime les conférences podcastées et les livres audio d'accomplissement personnel : *Connaissance du vin* en quinze chapitres, biographies de dramaturges du XVIIe et divers classiques de la littérature mondiale. L'*Ulysse* de James Joyce l'endort, alors qu'il me ravit. Les premiers temps, quand elle insérait ses écouteurs, j'entendais distinctement, grâce à la propagation efficace des ondes acoustiques à travers maxillaire, clavicule, et le long de son squelette jusqu'au liquide amniotique nourricier. Même la télévision transmet par le son l'essentiel de sa maigre utilité. Et puis quand ma mère et Claude se retrouvent, ils discutent à l'occasion de l'état du monde, d'ordinaire pour s'en affliger, alors même qu'ils conspirent à l'aggraver. Là où je suis logé, sans rien d'autre à faire qu'à croître par le corps et l'esprit, j'enregistre tout, même les fadaises — qui sont nombreuses.

Car Claude est homme à dire les choses plutôt deux fois qu'une. Un spécialiste de la répétition. Serrant la main d'un inconnu pour se présenter — je l'ai entendu à deux reprises —, il lancera : « Claude, comme Debussy. » Quelle erreur ! Il n'est que Claude le promoteur qui ne compose rien, n'invente rien. Une pensée lui vient, il l'exprime à haute voix, puis elle lui revient et — pourquoi pas ? — il la répète. Pour que son plaisir soit complet, il doit refaire vibrer l'air avec la même pensée. Il sait que vous savez qu'il se répète. Ce qu'il ignore, c'est que vous appréciez moins que lui. Un problème de référent, ai-je appris à l'écoute d'une conférence Reith de la BBC.

Voici un exemple des discours de Claude et de la façon dont je m'informe. Par téléphone (j'entends leurs deux voix), ma mère et lui se sont donné rendez-vous dans la soirée. Sans tenir compte de ma présence, comme souvent : un dîner aux chandelles. Comment je le sais ? Parce que l'heure venue, quand on les conduit à leur place, ma mère se plaint. Les bougies sont allumées sur toutes les tables, sauf la nôtre.

S'ensuit le soupir agacé de Claude, un claquement de

doigts impérieux, le genre de murmure obséquieux qui émane sans doute d'un serveur courbé avec zèle, le crissement d'un briquet. À eux le dîner aux chandelles. Ne leur manque que la nourriture. Mais ils ont les menus imposants sur les genoux : je sens au creux de mes reins le bord inférieur de celui de Trudy. Et je dois écouter une fois de plus la diatribe de Claude contre la terminologie choisie, comme s'il était le premier à repérer ces absurdités dérisoires. Il s'attarde sur l'adjectif « poêlé ». Qu'est-ce que « poêlé », sinon une version trompeusement raffinée de « frit », vulgaire et mauvais pour la santé ? Dans quoi, sinon dans une poêle, faire revenir ses coquilles Saint-Jacques avec du piment et du citron vert ? Un sablier ? Avant de poursuivre, il répète une partie de sa tirade en changeant d'intonation. Puis vient son deuxième dada, une importation américaine : le gruau. J'articule en silence son exposé avant même qu'il n'ouvre la bouche, quand une légère inclinaison de mon axe vertical m'indique que ma mère se penche pour poser un index dissuasif sur le poignet de Claude et dire doucement, changeant de sujet : « Choisis le vin, chéri. Quelque chose de splendide. »

J'aime bien partager un verre avec ma mère. Peut-être n'avez-vous jamais goûté, à moins que vous ne l'ayez oublié, un bon bourgogne (son préféré) ou un bon sancerre (autre préférence) décanté à travers un placenta sain. Avant même l'arrivée du vin — un sancerre Jean-Max Roger, ce soir —, au bruit du tire-bouchon je le sens sur mon visage, telle la caresse d'un vent d'été. Je sais que l'alcool amoindrira mon intelligence. Il amoindrit celle de tout le monde. Ah, mais comment résister à un joyeux pinot noir qui vous rosit les joues ou à un sauvignon aux arômes de groseille à maquereau, sous l'effet desquels je fais des cabrioles dans ma mer secrète, rebondissant sur les murs de mon château — ce château gonflable qui est ma demeure. Du moins en faisais-je quand j'avais plus de place. Désormais je profite calmement des plaisirs de la vie, et au second verre mes spéculations fleurissent avec cette licence qu'on dit poétique. Mes pensées se dévident en pentamètres bien cadencés, agrémentés d'enjambements. Mais ma mère ne prend pas de troisième verre, ce qui me peine.

« Il faut que je pense au bébé », dit-elle en recouvrant son verre d'une main prude. Me vient alors l'envie de saisir mon cordon huileux, comme on le ferait de celui, en velours, d'un manoir de campagne à la domesticité nombreuse, et de tirer d'un coup sec pour être servi. Ohé! Une tournée supplémentaire par ici!

Mais non, elle se rationne par amour pour moi. Et moi aussi je l'aime — comment pourrais-je ne pas l'aimer, cette mère que je n'ai pas encore rencontrée, que je connais seulement de l'intérieur? Cela ne suffit pas! J'aspire à voir son moi extérieur. Tout est dans l'apparence. Je sais que ses cheveux ont « la blondeur de la paille », qu'une « pluie d'or de boucles folles » tombe sur ses épaules « à la chair aussi blanche que celle d'une pomme », car mon père lui a lu en ma présence un poème à la gloire de sa chevelure. Claude aussi l'a évoquée, en des termes moins inventifs. Quand ma mère est d'humeur, elle se fait des tresses bien serrées qu'elle enroule autour de sa tête — à la manière de Ioulia Timochenko, d'après mon père. Je sais également qu'elle a les yeux verts, que son nez ressemble à un « bouton nacré », qu'elle le préférerait un peu plus saillant, que chacun de son côté Claude et

19

mon père l'adorent tel quel et ont tenté de la rassurer. On lui a souvent dit qu'elle était belle, mais elle reste sceptique — ce qui lui confère un pouvoir innocent sur les hommes, lui a avoué mon père un après-midi dans la bibliothèque. Elle a répondu que si c'était vrai, elle n'avait jamais recherché ce pouvoir et n'en voulait pas. Leur conversation sortait de l'ordinaire et j'ai dressé l'oreille. Mon père, qui se prénomme John, a déclaré que s'il avait autant de pouvoir sur elle ou sur les femmes en général, il ne se verrait pas y renoncer. À l'onde de choc qui a soudain décollé mon oreille de la paroi utérine, j'ai deviné que ma mère haussait ostensiblement les épaules, comme pour dire : *Donc les hommes sont différents. Quelle importance ?* Par ailleurs, a-t-elle ajouté, ce prétendu pouvoir ne lui est conféré que par les fantasmes des hommes. Puis le téléphone a sonné, mon père est allé décrocher, et cette conversation rare et intéressante sur le pouvoir exercé par certains en est restée là.

Mais revenons à ma mère, à ma traîtresse Trudy dont j'aspire à découvrir le regard vert, les bras et les seins à la chair blanche comme celle d'une pomme, dont l'inexplicable désir pour Claude a précédé mon premier éveil à la conscience, mon « être » primitif, et dont les échanges avec lui se réduisent souvent à des murmures sur l'oreiller, des murmures au restaurant, des murmures dans la cuisine, comme si tous deux soupçonnaient la paroi utérine d'avoir des oreilles.

Je croyais que cette discrétion ne traduisait rien de plus qu'une intimité ordinaire entre amants. Mais j'en suis certain à présent : ils mettent leurs cordes vocales en sourdine parce qu'ils fomentent un affreux projet. Si ça tourne mal, les ai-je entendus dire, leur vie sera fichue. Ils pensent que pour le mener à bien, il faut agir vite, et sans délai. Ils s'incitent au calme et à la patience, se rappellent mutuellement le coût d'un échec, l'imbrication des différentes étapes, de sorte que si une seule manque, tout ratera, « comme avec les anciennes guirlandes lumineuses des sapins de Noël » — cette image impénétrable est due à Claude, qui dit rarement quelque chose d'obscur. Ce qu'ils projettent les dégoûte et les effraie, et ils sont incapables d'en parler ouvertement. Au lieu de quoi leurs murmures sont truffés d'ellipses, d'euphémismes, d'apories marmonnées, suivies d'un toussotement et d'un brusque changement de sujet.

La semaine dernière, par une nuit étouffante où je ne tenais pas en place et où je les croyais tous deux endormis depuis longtemps, ma mère a lancé dans le noir deux heures avant l'aube, près de la pendule du bureau de mon père au rez-de-chaussée : « On ne peut pas faire ça. »

Claude a répondu aussi sec : « Si, on peut. » Puis, après un moment de réflexion : « Bien sûr qu'on peut. »

2

Venons-en à mon père, John Cairncross, un immense gaillard, l'autre moitié de mon génome, dont le destin gouverné par une double hélice me préoccupe grandement. C'est en moi seul que mes parents fraient à jamais, doucement, amèrement, le long de deux brins complémentaires de bases azotées, la recette de mon identité. J'unis aussi John et Trudy dans mes rêveries : comme n'importe quel enfant de parents séparés, je voudrais les remarier, reconstituer cette paire de chromosomes, et réconcilier ainsi ma situation avec mon génome.

Mon père passe à la maison de temps à autre et je suis fou de joie. Il apporte parfois à ma mère des smoothies achetés dans son magasin préféré de Judd Street. Il a un faible pour ces mixtures gluantes censées prolonger son existence. J'ignore pourquoi il nous rend visite, car il repart toujours entouré d'une brume de tristesse. Certaines de mes conjectures se sont révélées fausses dans le passé, mais j'ai écouté attentivement et pour l'heure je m'en tiens aux suppositions suivantes : il ignore l'existence de Claude, reste follement amoureux de ma mère, espère revenir vivre avec elle un jour

prochain, croit encore à la version qu'elle lui a do
laquelle cette séparation doit offrir à chacun ‹
l'espace nécessaires pour évoluer » et relancer leur co᠎
C'est un poète en manque de reconnaissance, et pourtant il
persévère. Il possède et dirige une modeste maison d'édition,
a publié les premiers recueils de poètes devenus célèbres, et
même un futur Prix Nobel. Leur réputation faite, ces derniers partent tels des enfants adultes vers de plus grandes
maisons. Il accepte leur déloyauté comme une réalité de
l'existence et, avec l'abnégation d'un saint, se félicite des
éloges qui célèbrent Cairncross Press. Il est plus attristé
qu'aigri par l'insuccès de ses propres poèmes. Un jour il nous
a lu une mauvaise critique, à Trudy et à moi. On y disait son
œuvre datée, d'un formalisme rigide, trop « esthétisante ». Or
il vit pour la poésie, en récite encore à ma mère, l'enseigne, la
recense, contribue à faire connaître les jeunes poètes, est
membre de plusieurs jurys de prix, promeut la poésie dans les
établissements scolaires, lui consacre des essais dans d'obs-
cures revues, en parle à la radio. Trudy et moi l'avons
entendu une fois aux petites heures de la nuit. Il a moins
d'argent que Trudy, et beaucoup moins que Claude. Il
connaît mille poèmes par cœur.

Voilà pour ma collection de faits et de postulats. Penché
sur elle avec la patience d'un philatéliste, j'y ai ajouté
quelques acquisitions récentes. Il a une maladie de peau, un
psoriasis qui rend ses mains squameuses, rouges et rugueuses.
Trudy déteste leur apparence et leur contact, et lui conseille
de porter des gants. Il s'y refuse. Il a signé un bail de six mois
pour la location d'un trois-pièces minable à Shoreditch, est
endetté, a grossi et devrait faire du sport. Hier encore, j'ai

glané une information aussi précieuse — gardons la métaphore de la philatélie — que le timbre Penny Black : la demeure où vit ma mère, et moi en elle, celle où Claude lui rend visite chaque soir, est à la fois une ruine de style georgien dans Hamilton Terrace, rue prétentieuse, et la maison où mon père a grandi. À l'approche de la trentaine, alors qu'il se laissait pour la première fois pousser la barbe et venait d'épouser Trudy, il a hérité du manoir familial. Sa mère bien-aimée était morte depuis longtemps. Toutes mes sources en conviennent, la bâtisse est répugnante. Seuls des clichés lui rendent justice : lépreuse, décrépie, délabrée. En hiver il est arrivé que le givre raidisse les rideaux ; en cas de fortes pluies, les canalisations, comme les banques sérieuses, rendent avec intérêt ce qu'elles ont en dépôt ; en été, comme les banques pourries, elles puent. Mais regardez ! Là, dans ma pince, une pièce unique, le One Cent Magenta de la Guyane britannique : même dans leur état de vétusté, on peut tirer de ces quelque six cents mètres carrés en souffrance sept millions de livres.

Jamais la plupart des hommes, jamais la plupart des gens ne laisseraient leur conjoint les éjecter de la maison de leur enfance. John Cairncross est différent. Voici mes hypothèses raisonnables. Né sous une bonne étoile, soucieux de faire plaisir, trop gentil, trop sérieux, il n'a pas la cupidité cachée du poète ambitieux. Il croit vraiment qu'écrire un poème à la gloire de ma mère (de ses yeux, de ses cheveux, de ses lèvres) et venir le lui lire à haute voix attendrira celle-ci, qu'il sera de nouveau le bienvenu sous son propre toit. Mais elle sait que ses yeux ne sont nullement comme « les prés de Galway » — c'est-à-dire « d'un vert intense » dans l'esprit de mon père —, et puisqu'elle n'a pas de sang irlandais l'image tombe à plat. Chaque fois qu'elle et moi écoutons mon père, je sens au rythme alangui de son cœur se former sur sa rétine une croûte d'ennui qui la rend aveugle au caractère pathétique de la scène : un homme de grande taille et au grand cœur plaidant sa cause désespérée, sous la forme démodée d'un sonnet.

« Mille » est sans doute une hyperbole. La majorité des poèmes que connaît mon père sont longs, comme « La crémation de Sam McGee » et « La terre vaine », ces deux célèbres créations d'employés de banque. Trudy tolère encore une récitation de temps à autre. Pour elle, mieux vaut un monologue qu'un échange, qu'une nouvelle promenade dans le jardin en friche de leur mariage. Peut-être s'y prête-t-elle sous l'effet du remords, ou du peu qu'il en reste. Naguère, mon père lui parlant poésie était apparemment un de leurs rituels amoureux. Étrange, qu'elle ne supporte pas l'idée de lui avouer ce dont il doit se douter, et qu'elle devra bien révéler. Elle ne l'aime plus. Elle a un amant.

À la radio aujourd'hui, une femme racontait avoir écrasé un chien, un golden retriever, alors qu'elle roulait de nuit sur une route déserte. Elle s'était accroupie près de lui dans la lumière des phares, tenant la patte de l'animal mourant au corps secoué par d'effroyables douleurs. De grands yeux marron pleins d'indulgence ne quittaient pas les siens. De sa main libre elle avait saisi une pierre et frappé plusieurs fois le crâne du malheureux chien. Pour expédier John Cairncross dans l'au-delà, un coup suffirait, le coup de grâce de la vérité. Au lieu de quoi, lorsqu'il commence à réciter, Trudy affiche une attention feinte. Moi je suis tout ouïe.

Nous montons généralement dans sa bibliothèque de poésie au premier étage. Tandis qu'il s'installe dans son fauteuil habituel, l'unique son vient d'une pendule branlante sur le manteau de la cheminée. En présence d'un poète, je donne libre cours à mon imagination. S'il regarde le plafond pour se concentrer, il constatera la détérioration des moulures de style Adam. Leur effritement a saupoudré le dos d'ouvrages célèbres d'une poussière de plâtre fine comme du sucre glace. Ma mère essuie son propre fauteuil d'un geste avant de s'asseoir. Sans ostentation, mon père prend une inspiration et commence. Il récite avec naturel et conviction. Pour l'essentiel la poésie contemporaine me laisse froid. Trop d'égotisme, trop de morne indifférence à autrui, trop de plaintes dans un vers trop bref. Alors que John Keats et Wilfred Owen, eux, vous étreignent avec chaleur comme des frères. Je sens leur souffle sur mes lèvres. Leur baiser. Qui ne souhaiterait avoir écrit : « Des pommes confites, des coings, et des prunes, et du melon », ou : « La pâleur du front des jeunes filles ils auront pour suaire » ?

Je vois ma mère avec les yeux adorateurs de mon père face à elle dans la bibliothèque. Elle est nichée au creux d'un immense fauteuil tendu de cuir et datant de la Vienne de Freud. Ses jambes nues et souples sont joliment repliées sous elle. Un coude posé sur l'accoudoir, elle soutient sa tête inclinée, les doigts de sa main libre pianotent sur sa cheville. La fin de l'après-midi est étouffante, les fenêtres sont ouvertes, la circulation sur St John's Wood ronronne doucement. Trudy a l'air songeuse, la lèvre inférieure un peu lourde. Elle l'humecte d'une langue immaculée. Quelques boucles blondes sont plaquées sur son cou moite.

Sa robe de coton, assez ample pour me contenir, est d'un vert pâle, plus pâle que ses yeux. La grossesse poursuit tranquillement son œuvre et ma mère se sent lasse, agréablement lasse. John Cairncross voit ses joues rosies par l'été, la ligne ravissante de son cou, de ses épaules et de ses seins gonflés, la bosse prometteuse que je forme, la blancheur des mollets de Trudy privés de soleil, la plante lisse de son seul pied visible, l'innocence de ses orteils alignés en rang d'oignons tels des enfants sur une photo de famille. Tout en elle semble porté à la perfection par son état, pense-t-il.

Il ne voit pas son impatience qu'il s'en aille. Ni sa perversité d'exiger qu'il vive ailleurs pendant notre troisième trimestre, à elle et à moi. Peut-il être à ce point complice de sa propre annihilation ? Un si grand gaillard — un mètre quatre-vingt-dix, paraît-il —, un géant aux bras puissants couverts de poils noirs, assez bête pour croire sage d'accorder à sa femme « l'espace » dont elle prétend avoir besoin. De l'espace ! Elle devrait bien venir ici, où je peux à peine remuer un doigt ces derniers temps. Dans la bouche de ma mère, l'espace, le besoin qu'elle en a, est une métaphore bancale. Voire un synonyme d'égoïsme, de duplicité, de cruauté. Mais attendez, je l'adore, elle est mon idole et je ne peux me passer d'elle. Je retire ce que j'ai dit ! J'ai parlé sous l'effet de l'angoisse. Je me leurre autant que mon père. C'est vrai. Chez elle, beauté, détachement et détermination sont indissociables.

Au-dessus d'elle, tel que je me le représente, le plafond délabré de la bibliothèque laisse soudain échapper un nuage de particules qui tournoient et scintillent dans un rai de lumière. Elle aussi scintille sur le cuir brun et craquelé du fauteuil où Hitler, Trotski ou Staline auraient pu s'affaler durant leur période viennoise, alors qu'ils n'étaient que des embryons de leur moi à venir. Je le concède. Je suis à elle. Si elle l'ordonnait, j'irais moi aussi à Shoreditch, et j'assurerais ma subsistance en exil. Pas besoin de cordon ombilical. Un amour sans espoir nous unit, mon père et moi.

Malgré tous les signaux — la sécheresse des réponses de ma mère, ses bâillements, son attention approximative —, il s'attarde jusqu'en début de soirée, espérant peut-être une invitation à dîner. Mais ma mère attend Claude. Elle finit par mettre son mari dehors en prétextant qu'elle doit se reposer. Elle va le raccompagner jusqu'à la porte. Qui pourrait ignorer le chagrin dans sa voix lorsqu'il fait timidement ses adieux ? L'idée qu'il soit prêt à subir n'importe quelle humiliation afin de passer quelques minutes de plus en sa présence me fait mal. Rien, sauf sa nature, ne l'empêche de faire ce que d'autres feraient sans doute : la précéder dans la chambre conjugale, celle où lui et moi avons été conçus, s'étendre de tout son long sur le lit ou dans la baignoire parmi des nuages de vapeur envahissants, puis inviter ses amis, leur servir du vin, être maître chez lui. Au lieu de quoi il espère arriver à ses fins par la gentillesse, la soumission aux exigences de ma mère. J'espère me tromper, mais je pense qu'il sera doublement perdant, car elle continuera de mépriser sa faiblesse et il souffrira encore plus qu'il ne devrait. Ses visites ne se terminent pas, elles s'effacent. Il laisse derrière lui un sillage de tristesse dans la bibliothèque, une silhouette imaginaire, un hologramme déçu encore en possession de son fauteuil.

Nous approchons maintenant de la porte tandis que ma

mère le raccompagne. Il a été beaucoup question des diverses dégradations. Je sais qu'une charnière de cette porte s'est détachée de l'encadrement vermoulu, réduit à l'état de poussière compacte. Certaines dalles du carrelage ont disparu, d'autres sont fissurées — de style georgien, elles formaient autrefois un damier coloré, impossible à remplacer. Dissimulant ces absences et ces fissures, des sacs-poubelle remplis de bouteilles vides et de nourriture avariée. Répandus sur le sol, certains détritus sont emblématiques du laisser-aller domestique : contenu de cendriers, assiettes en carton avec des balafres de ketchup répugnantes, sachets de thé en équilibre instable comme de minuscules sacs de grain amoncelés par des souris ou des elfes. De découragement, l'employée de maison est partie longtemps avant ma conception. Trudy sait qu'une femme enceinte n'a pas à hisser les ordures dans les hautes poubelles à roulettes. Il lui serait facile de demander à mon père de nettoyer le hall d'entrée, mais elle ne le fait pas. S'acquitter des devoirs ménagers pourrait lui conférer des droits sur la marche de la maison. Et Trudy élabore peut-être un habile scénario où elle l'accuserait de désertion. Claude reste sur ce plan un visiteur, un étranger, mais je l'ai entendu dire que faire le ménage dans un coin soulignerait seulement le chaos qui règne ailleurs. Malgré la vague de chaleur, je suis bien pro-tégé contre la puanteur. Ma mère s'en plaint chaque jour ou presque, mais mollement. Ce n'est qu'un aspect de la décrépitude ambiante.

Sans doute pense-t-elle qu'une tache de crème au citron sur la chaussure de mon père ou la vue d'une orange héris-sée de moisissure bleu cobalt l'incitera à abréger ses adieux.

Elle se trompe. La porte est ouverte, il a un pied dehors, un pied dedans, ma mère et moi sommes encore à l'intérieur. Claude doit arriver dans un quart d'heure. Il est parfois en avance. D'où l'énervement de Trudy, mais elle tient à donner l'impression de tomber de sommeil. Elle marche sur des coquilles d'œuf. Coincé sous sa sandale, le papier qui enveloppait une demi-livre de beurre fermier a rendu ses orteils luisants. Elle rapportera bientôt ce détail à Claude sur un mode humoristique.

« Écoute, dit mon père, il faut vraiment qu'on parle.

— Oui, mais pas maintenant.

— On remet sans cesse à plus tard.

— Je ne peux même pas t'expliquer à quel point je suis fatiguée. Tu n'as pas idée. Il faut absolument que je m'allonge.

— Bien sûr. Raison pour laquelle j'envisage de me réinstaller ici afin de pouvoir...

— Je t'en prie, John, pas maintenant. On a déjà évoqué tout ça. Il me faut plus de temps. Essaie d'avoir quelques égards. Je porte ton enfant, ne l'oublie pas. Ce n'est pas le moment d'être égoïste.

— Je n'aime pas te savoir seule, alors que je pourrais...

— John ! »

J'entends le soupir qu'il pousse en étreignant ma mère d'aussi près qu'elle le permet. Puis je sens son bras à elle se tendre pour lui saisir le poignet en évitant sans doute de toucher ses mains à vif, le faire pivoter et le pousser doucement vers la rue.

« Je t'en prie, mon chéri, va-t'en... »

Plus tard, pendant qu'elle se repose, épuisée et furieuse, je reviens à mes spéculations premières. Quelle sorte d'individu avons-nous là ? Le grand John Cairncross est-il l'envoyé qui nous montre la voie de l'avenir, un homme capable de mettre fin aux guerres, à la rapine, à l'esclavage, et de traiter toutes les femmes comme ses égales, avec sollicitude ? Ou bien sera-t-il piétiné à mort par des brutes ? C'est ce que nous allons découvrir.

3

Et ce Claude, cet imposteur venu s'insinuer entre ma famille et mes espoirs, qui est-il ? Un jour j'ai entendu cette expression et elle m'est restée : « abruti de péquenaud ». Toutes mes perspectives d'avenir sont compromises. Son existence me prive de mes droits légitimes à une vie heureuse entre mes deux parents. À moins que je ne conçoive un plan. Il a séduit ma mère et banni mon père. Ses intérêts ne peuvent être les miens. Il me broiera. Sauf si, sauf si — deux tout petits mots, promesse fantomatique d'un infléchissement du destin, bêlement d'espoir en forme de trochée, ils traversent mes pensées tel un corps flottant dans l'humeur vitreuse d'un œil. Un pur espoir.

Et Claude, tel un corps flottant, est à peine réel. Pas même un intrigant pittoresque, nulle trace de l'escroc sympathique. Il brille plutôt par sa médiocrité, sa fadeur dépasse l'imagination, sa banalité est aussi raffinée que les arabesques de la Mosquée bleue. Voilà un homme qui sifflote continuellement, non pas des chansons mais des jingles de spots publicitaires, des sonneries de téléphone, et qui vous égaie une matinée avec la version Nokia d'une danse de Tàrrega.

Un homme dont les remarques répétitives sont un verbiage sans humour, vide de sens, dont les phrases creuses meurent comme des poussins orphelins, vouées à l'oubli. Qui lave ses parties génitales dans le lavabo où ma mère se rince le visage. Qui ne parle que de vêtements et de voitures. Et nous a dit cent fois que jamais il n'irait acheter tel ou tel modèle, une hybride ou une... ou encore... Et il n'achète ses chemises que dans telle rue de Mayfair, non, dans telle autre, et ses chaussettes chez... il a oublié où... Si seulement... mais. Personne d'autre ne termine une phrase par « mais ».

Cette voix usée, hésitante. Toute ma vie j'ai subi la double torture de ses sifflotements et de ses paroles. Sa vue m'a été épargnée, mais ce ne sera plus pour longtemps. Dans le crépuscule sanglant de la salle d'accouchement (Trudy a décrété que Claude, et non mon père, serait là), quand j'émergerai pour le saluer enfin, mes interrogations demeureront, quelque forme qu'il prenne : à quoi joue donc ma mère ? Que peut-elle bien vouloir ? A-t-elle sorti Claude d'un chapeau pour illustrer les mystères de l'érotisme ?

Tout le monde ne sait pas quel effet ça fait, d'avoir le pénis du rival de votre père à quelques centimètres de votre nez. Si tard dans la grossesse, ils devraient réfréner leurs élans par égard pour moi. La courtoisie, à défaut de discernement médical, l'exige. Je ferme les yeux, serre les gencives, me recroqueville contre la paroi utérine. Ces turbulences arracheraient les ailes d'un Boeing. Ma mère aiguillonne son amant, elle le cravache avec ses cris aigus de fête foraine. Le mur de la mort ! Chaque fois, à chaque coup de piston, je redoute que Claude ne passe au travers, transperce mon crâne souple et contamine mes pensées avec sa semence, sa liqueur fertile en banalités. Le cerveau atteint, je penserais et parlerais alors comme lui. Je serais le fils de Claude.

Mais plutôt être prisonnier d'un Boeing sans ailes plongeant au milieu de l'Atlantique que d'avoir un soir de plus ma place réservée pour assister aux préliminaires de Claude. Je suis aux premières loges, inconfortablement assis la tête en bas. Pour une représentation minimaliste d'un modernisme glauque, un duo d'acteurs. Claude fait son entrée sous le feu des projecteurs. C'est lui-même et non ma mère qu'il déshabille. Il plie avec soin ses vêtements sur une chaise. Sa nudité est aussi ennuyeuse que le costume d'un comptable. Il déambule dans la chambre, s'avance sur le devant de la scène, la peau nue sous le crachin de son soliloque. Le savon rose destiné à sa tante pour son anniversaire et qu'il doit rapporter dans Curzon Street, un rêve qu'il a presque oublié, le prix du diesel, l'impression qu'on est mardi. Mais on n'est pas mardi. Chaque nouveau sujet se lève courageusement en grognant, chancelle, puis s'écroule devant le suivant. Et ma mère ? Sur le lit, entre les draps, partiellement dévêtue, attentive, avec des « mm… » approbateurs et des hochements de tête compatissants. Avec moi comme seul témoin, un index recouvre sous les draps son discret capuchon clitoridien pour la pénétrer agréablement. Index qu'elle fait doucement rouler sur lui-même en s'abandonnant corps et âme. J'imagine que c'est délicieux. Oui, murmure-t-elle entre deux soupirs, elle aussi avait des doutes au sujet de ce savon, elle aussi oublie trop vite ses rêves, elle aussi se croyait mardi. Rien sur le diesel — petite délivrance.

Les genoux de Claude creusent le matelas infidèle qui accueillait récemment mon père. De ses pouces agiles ma mère enlève sa culotte. Entrée de Claude. Il l'appelle parfois sa souris, ce qui semble lui plaire, mais pas de baisers, d'attouchements ni de caresses, de murmures ni de promesses, de tendres coups de langues, de délires coquins. Seulement l'accélération des grincements du lit, jusqu'à ce que ma mère affronte enfin le mur de la mort et se mette à crier. Vous connaissez peut-être cette vieille attraction de fête foraine. Plus elle tourne vite, plus la force centrifuge vous plaque contre la paroi pendant que le sol ondule et se dérobe sous vos pieds. Trudy tournoie à toute vitesse, son visage n'est plus qu'un tourbillon d'un rose crémeux, avec une tache verte comme l'angélique à la place des yeux. Elle hurle, puis, après son cri final poussé dans un frisson, j'entends le bref grognement étranglé de Claude. Courte pause. Sortie de Claude. Le matelas se creuse à nouveau et la voix de Claude retentit, depuis la salle de bains cette fois : une reprise du thème de Curzon Street ou du jour de la semaine, et quelques tentatives pour siffloter la sonnerie Nokia. Une pièce en un seul acte, trois minutes au plus, pas de rappel. Souvent Trudy le rejoint dans la salle de bains et, sans se toucher, ils purgent leur corps des traces de l'autre avec l'eau chaude de l'absolution. Aucune tendresse, aucune prolongation ensommeillée de l'étreinte amoureuse. Durant ces brèves ablutions, l'esprit décapé par l'orgasme, ils se remettent souvent à comploter, mais avec l'écho de la pièce carrelée, le bruit des robinets ouverts, leurs paroles me sont inaudibles.

Raison pour laquelle j'en sais si peu sur leur projet. Juste qu'il les excite, leur fait baisser la voix, même quand ils se croient seuls. Je ne connais pas davantage le nom de famille de Claude. Promoteur immobilier de profession, encore qu'il ait moins bien réussi que la plupart. Devenir brièvement, mais avec profit, propriétaire d'une tour de Cardiff a marqué l'apogée de sa carrière. Riche ? Héritier d'une somme à sept chiffres, il ne lui en reste, semble-t-il, que deux cent cinquante mille livres. Il quitte notre demeure vers dix heures, revient après dix-huit heures. Voici deux propositions divergentes. La première : une personnalité plus affirmée se dissimule à l'intérieur d'une coquille anodine. Être aussi insipide paraît à peine plausible. Quelqu'un d'intelligent, de ténébreux et de calculateur se cache là-dedans. En tant qu'homme c'est un chef-d'œuvre, un dispositif dont il est l'auteur, une machine à trahir qui conspire à la fois contre Trudy et avec elle. Seconde proposition : il est tel qu'il paraît, la coquille est vide, c'est un conspirateur aussi honnête que Trudy, en plus terne. Pour sa part, elle préfère ne pas se méfier d'un homme qui la propulse au septième ciel en moins de trois minutes. Alors que moi, je reste ouvert à toutes les hypothèses.

Mon seul espoir d'en découvrir plus est de veiller toute la nuit pour surprendre une nouvelle aubade désinhibée. L'atypique « on peut » de Claude m'a d'abord fait douter de la médiocrité de ce dernier. Cinq jours se sont écoulés depuis — et rien. Je réveille ma mère en lui donnant des coups de pied, mais elle ne veut pas déranger son amant. À défaut, elle se plaque sur les oreilles une conférence podcastée et s'adonne à la magie d'Internet. Elle zappe. J'ai déjà tout entendu. Élevage d'asticots dans l'Utah. Randonnées sur le plateau irlandais du Burren. L'offensive de la dernière chance pour Hitler dans les Ardennes. Parades amoureuses chez les Yanomamis. Comment Poggio Bracciolini a sauvé Lucrèce de l'oubli. Les lois du tennis.

Je reste éveillé, j'écoute, je m'instruis. Tôt ce matin, moins d'une heure avant l'aube, il y a eu quelque chose de plus sérieux que d'habitude. Véhiculé par le squelette de ma mère, un mauvais rêve sous la forme d'une conférence officielle. L'état du monde. Une spécialiste des relations internationales, une femme raisonnable à la voix chaude et profonde, m'a informé que la planète n'allait pas bien. Elle a évoqué deux états d'esprit courants : l'apitoiement sur soi et l'agressivité. Pris séparément, un mauvais choix pour un individu. Pris ensemble, au sein d'un groupe ou d'une nation, un breuvage toxique qui est monté récemment à la tête des Russes en Ukraine, et avant eux à celle de leurs amis serbes dans leur partie du monde. On nous a rabaissés, maintenant nous allons prouver de quoi nous sommes capables. L'État russe devenu le bras politique du crime organisé, une nouvelle guerre en Europe n'avait plus rien d'inconcevable. Tenez les divisions blindées prêtes à partir vers la frontière méridionale de la Lituanie, vers les plaines du nord de l'Allemagne. La même potion échauffe l'esprit des franges barbares de l'islam. La coupe vidée, le même cri s'élève : on nous a humiliés, nous serons vengés !

La conférencière tenait en piètre estime notre espèce, dont les psychopathes représentent une fraction constante, un invariant humain. Juste ou non, la lutte armée les attire. Ils contribuent à transformer les rivalités locales en conflits à grande échelle. L'Europe, selon elle aux prises avec une crise existentielle, faible et désunie alors que plusieurs variétés de nationalismes complaisants s'abreuvent à la même source. La confusion des valeurs, le bacille de l'antisémitisme qui couve, les populations d'immigrants qui croupissent dans la colère et l'ennui. Ailleurs, partout, de nouvelles inégalités, les super riches formant une race à part. Des trésors d'ingéniosité déployés par les États pour inventer des armes intelligentes, par les multinationales pour échapper à l'impôt, par les banques vertueuses pour se mettre des millions plein les poches. La Chine, trop vaste pour avoir besoin d'amis ou de conseils, qui sonde avec cynisme les rivages de ses voisins, construit des îlots de sable tropical, se prépare à une guerre qu'elle sait inévitable. Les pays à majorité musulmane victimes du puritanisme religieux, de la misère sexuelle, d'un étouffement de la recherche. Le Moyen-Orient, réacteur surgénérateur d'une éventuelle guerre mondiale. Et l'ennemi privilégié, les États-Unis, pas vraiment l'avenir de l'humanité, coupables de torture, esclaves de leur propre livre sacré conçu au temps des perruques poudrées, une Constitution aussi intouchable que le Coran. Leur population d'obèses anxieux, peureux, tourmentés par une indignation sans mots, méprisant le gouvernement, assassinant le sommeil avec chaque nouvelle arme à feu. L'Afrique qui doit encore apprendre le tour de passe-passe de la démocratie : la transmission pacifique du pouvoir. Ses enfants qui meurent par milliers chaque semaine, faute d'avoir le simple nécessaire : eau potable, moustiquaires, médicaments bon marché. Toute l'humanité unie et sur un pied d'égalité face à la vieille et triste réalité du changement climatique, de la déforestation, de la disparition de certaines espèces et des calottes glaciaires. Une agriculture rentable mais empoisonnée qui détruit la beauté du vivant. Les océans transformés en solution acide. Loin à l'horizon, mais approchant à grande vitesse, le tsunami pisseux d'une foule croissante de vieux, de cancéreux et de déments réclamant des soins. Et avec la transition démographique, bientôt l'inverse : une diminution catastrophique de la population. L'expression de moins en moins libre, la démocratie libérale qui n'est plus la destination évidente, les robots voleurs d'emplois, la liberté au corps à corps avec la sécurité, le socialisme déshonoré, comme le capitalisme corrompu et destructeur, aucune alternative en vue.

En conclusion, d'après la conférencière, ces désastres sont l'œuvre de notre double nature. De notre intelligence et de notre puérilité. Nous avons construit un monde trop dangereux et compliqué pour être gouverné par notre tempérament querelleur. En désespoir de cause, tous les suffrages iront au surnaturel. C'est le crépuscule du deuxième âge de la raison. Nous avons été formidables, mais nous voilà condamnés. Vingt minutes. Coupez.

Angoissé, je tripote mon cordon. Il me sert de chapelet. Attendez, me dis-je. Si c'est ça l'avenir, quel mal y a-t-il à être puéril ? J'ai entendu assez de ces conférences pour avoir appris à énoncer les contre-arguments. Le pessimisme est trop facile, voire délectable, le signe de ralliement des intellectuels de la terre entière. Il dispense les élites de chercher des solutions. Nous nous repaissons des idées noires contenues dans les pièces de théâtre, les poèmes, les romans, les films. Et maintenant dans les conférences. Pourquoi se fier à ce tableau alors que jamais l'humanité n'a été aussi riche, en aussi bonne santé, avec une espérance de vie aussi prolongée ? Alors que jamais il n'y a eu si peu d'êtres humains morts à la guerre ou en couches — et que jamais nous n'avons eu accès à plus de savoir, de vérités scientifiquement établies? Alors que la compassion — pour les enfants, les animaux, les religions des autres, les habitants de contrées lointaines — croît quotidiennement? Que des centaines de millions d'individus ont été tirés de la misère? Qu'en Occident, même les gens modestes, bien calés dans leur siège, bercés par la musique, avalent en douceur des kilomètres d'autoroute quatre fois plus vite qu'un cheval au galop? Alors que la variole, la polio, le choléra, la rougeole, la mortalité infantile, l'analphabétisme, les exécutions publiques et la torture d'État ont été bannis de tant de pays? Il n'y a pas si longtemps, ces fléaux étaient partout. Alors que les panneaux solaires, les parcs éoliens, l'énergie nucléaire et des inventions encore inconnues nous libéreront des rejets de dioxyde de carbone, que les cultures génétiquement modifiées nous épargneront les ravages des pesticides et sauveront les plus pauvres de la famine? Alors que la migration généralisée vers les villes rendra de vastes parcelles de terre à la nature, fera baisser la natalité, soustraira certaines femmes à l'autorité de patriarches de village ignorants? Et que dire de ces miracles ordinaires qui feraient envier à César le sort d'un ouvrier: soins dentaires indolores, accès instantané aux gens qu'on aime, à la meilleure musique que le monde ait connue, à la gastronomie d'une douzaine de civilisations? Nous sommes bardés de privilèges et de plaisirs autant que de griefs, et ceux dont ce n'est pas le cas le seront bientôt. Quant aux Russes, on disait la même chose de l'Espagne catholique. On s'attendait à voir ses armées sur nos plages. Comme la plupart du temps, rien de cela ne s'est produit. Le problème fut réglé par quelques vaisseaux et une tempête opportune qui ont forcé sa flotte à contourner le nord de l'Écosse. Toujours nous serons troublés par l'état des choses : avoir une conscience est un cadeau empoisonné.

Un simple hymne à la gloire de ce monde en or dont je vais hériter. Dans ma réclusion, je suis devenu un connaisseur en rêves collectifs. Comment savoir ce qui est vrai ? Difficile pour moi de réunir les preuves. Chaque proposition est contrebalancée, ou annulée, par une autre. Comme tout le monde, je prendrai ce que je voudrai, ce qui me plaira.

Mais ces réflexions m'ont distrait et j'ai raté les premiers mots de l'échange pour lequel j'étais resté éveillé. L'aubade. Le réveil allait sonner dans quelques minutes, Claude a murmuré quelque chose, ma mère lui a répondu, il a repris la parole. Je me ressaisis, plaque mon oreille contre la paroi. Je sens le matelas bouger. La nuit a été chaude. Claude doit être assis, en train d'enlever le tee-shirt qu'il porte au lit. Je l'entends dire qu'il voit son frère cet après-midi. Il a déjà mentionné ce frère. J'aurais dû être plus attentif. Mais généralement le contexte m'ennuyait : l'argent, la comptabilité, les impôts, les dettes.

Claude poursuit : « Il mise tout sur cette poétesse avec qui il va signer. »

Une poétesse ? Dans ce monde, rares sont les éditeurs qui signent avec un poète. Je n'en connais qu'un. Le *frère* de Claude ?

« Ah oui, cette femme, répond ma mère. Oublié son nom. Elle écrit sur les chouettes.

— Les chouettes ! Tu parles d'un thème ! Il faudrait pourtant que je le voie avant ce soir.

— Je ne crois pas, dit lentement ma mère. Pas maintenant.

— Sinon il va revenir. Je ne veux pas qu'il t'embête. Mais.

— Moi non plus. Mais il faut que tout soit fait à ma façon. Lentement. »

Un silence. Claude prend son portable sur la table de chevet et coupe la sonnerie du réveil à titre préventif.

Enfin il reprend : « Si je prête de l'argent à mon frère, ce sera une bonne couverture.

— Pas trop, quand même. On n'est pas près de le récupérer. »

Ils rient. Puis Claude et son sifflotement partent vers la salle de bains, ma mère se couche sur le côté et se rendort, et on me laisse dans l'obscurité contempler ce scandale et méditer sur ma stupidité.

4

Lorsque j'entends le ronronnement sympathique de la circulation automobile, qu'une petite brise agite ce que je crois être des feuilles de marronniers, qu'un transistor grésille en contrebas, et qu'un demi-jour corail éclaire faiblement ma mer intérieure et ses milliards de fragments en suspension, je sais que ma mère bronze sur le balcon de la bibliothèque de mon père. Je sais aussi que la balustrade sophistiquée en fer forgé, à motifs de feuilles de chêne et de glands, ne tient que par plusieurs vénérables couches de peinture noire et qu'il ne faut pas s'y accouder. La plate-forme de béton en voie d'effritement où est assise ma mère a été déclarée dangereuse, même par des maçons que sa réparation n'intéresse pas. Ce balcon étroit ne peut accueillir qu'une chaise longue placée à l'oblique, presque parallèlement à la maison. Trudy est pieds nus, dans un haut de bikini et un minuscule short en jean qui me contient à peine. Cerise sur le gâteau, des lunettes noires à monture rose en forme de cœurs et un chapeau de paille. Je le sais, parce que mon oncle — oui, mon *oncle*! — lui a demandé au téléphone de décrire ce qu'elle portait. D'une voix charmeuse, elle s'est exécutée.

Il y a quelques minutes, la radio nous a annoncé qu'il était seize heures. Nous partageons un verre, peut-être une bouteille, de sauvignon blanc de Marlborough. Pas mon premier choix. Du même cépage, mais avec un goût moins herbacé, j'aurais pris un sancerre, de préférence du vignoble de Chavignol. Un caractère un peu plus minéral, avec des arômes de silex, aurait atténué l'assaut brutal du plein soleil et la chaleur de fournaise que renvoie la façade fissurée de notre demeure.

Mais c'est la Nouvelle-Zélande, le vin est en nous, et je n'avais pas été si heureux depuis deux jours. Trudy le rafraîchit avec des glaçons en plastique. Je n'ai rien contre. J'ai droit à ma première intuition des couleurs et des formes, car le ventre de ma mère est au soleil, si bien que je distingue, comme dans le halo rougeâtre d'une chambre noire de photographe, mes mains devant mon visage et mon cordon souplement enroulé autour de mon abdomen et de mes genoux. Je vois que mes ongles ont besoin d'être coupés, même si on ne m'attend pas avant deux semaines. J'aimerais croire que la présence de ma mère sur ce balcon est destinée à produire de la vitamine D pour la croissance de mes os, qu'elle a baissé la radio pour mieux envisager mon existence, que sa main qui caresse l'endroit où elle croit trouver ma tête exprime de la tendresse. Mais il se peut qu'elle peaufine son bronzage, qu'elle ait trop chaud pour suivre une pièce radiophonique sur l'empereur moghol Aurangzeb, et soulage simplement du bout des doigts l'inconfort dû aux ballonnements de fin de grossesse.

Après trois verres, le vin ne résout rien et la douleur de la récente découverte persiste. Pourtant, je sens pointer un dédoublement amical. Déjà un peu parti, je me vois cinq mètres en contrebas, pareil à un alpiniste étendu les bras en croix sur un rocher. Je commence à comprendre ma situation, je peux réfléchir tout en éprouvant des sensations. C'est à la portée de n'importe quel Blanc du Nouveau Monde. Donc. Ma mère a préféré le frère de mon père, elle a trompé son mari, gâché la vie de son fils. Mon oncle a volé la femme de son frère, trahi le père de son neveu, grossièrement insulté le fils de sa belle-sœur. Mon père est par nature sans défense, comme je le suis à cause des circonstances. Mon oncle : un quart de mon génome, la moitié de celui de mon père, mais il ne ressemble pas plus à ce dernier que moi à Virgile ou à Montaigne. Quelle partie méprisable de moi Claude représente-t-il, et comment le saurais-je ? Je pourrais être mon propre frère et me trahir comme il a trahi le sien. Lorsque je serai né et enfin autorisé à rester seul, il y aura un quart de moi-même où j'aurai envie de planter un couteau de cuisine. Mais celui qui tiendra le couteau sera aussi mon oncle découpant mon génome en quatre. On verra bien, alors, si le couteau tremble ou pas. Cette perception est également plus ou moins partagée par Claude. Et ce n'est pas tout.

Ma relation avec Trudy est mal partie. Je croyais pouvoir tenir son amour pour acquis. Mais j'ai entendu des biologistes débattre à l'aube. Les femmes enceintes se protègent contre l'occupant de leur utérus. La nature, elle-même une mère, m'oblige à me battre pour des ressources qui peuvent servir un jour à nourrir mes futurs frères et sœurs, mes rivaux. Ma santé dépend de Trudy, mais elle doit assurer sa survie. Alors pourquoi s'inquiéterait-elle de mes sentiments ? Si elle défend d'abord son intérêt et celui d'un minus encore dans les limbes, pourquoi se soucierait-elle de savoir si ses ébats avec mon oncle me perturbent ? Les biologistes suggèrent aussi que le plus sage pour mon père serait de contraindre par la ruse un autre homme à élever son enfant pendant que lui — oui, mon père ! — distribuerait sa semence à d'autres femmes. Quelle tristesse, quel manque d'amour ! Donc on est seuls, tous autant qu'on est, même moi, chacun marchant sur une route déserte, trimballant dans un baluchon sur son épaule les projets, les courbes prévisionnelles d'une progression inconsciente.

Trop insupportable, trop sinistre. Pourquoi le monde s'organiserait-il aussi durement ? Entre beaucoup d'autres choses, les gens sont sociables et gentils. La maturité ne fait pas tout. Ma mère n'est pas seulement ma logeuse. Mon père n'aspire pas à la plus large dissémination de ses gènes, mais à vivre avec sa femme et, sûrement, avec son seul fils. Je ne crois pas ces sages des sciences de la vie. Il m'aime forcément, veut se réinstaller chez nous, s'occupera de moi — si on lui en donne l'occasion. Jamais ma mère ne m'a fait sauter un repas et, jusqu'à cet après-midi, elle refusait par décence un troisième verre à cause de moi. Ce n'est pas son amour qui fait défaut. C'est le mien. C'est mon ressentiment qui nous sépare. Je refuse de dire que je la hais. Mais tout de même, abandonner un poète, n'importe quel poète, pour Claude !

Dur à avaler, comme la mollesse du poète en question. John Cairncross, mis à la porte de la demeure familiale achetée par son grand-père, au nom d'une philosophie du « développement personnel » — formule aussi paradoxale que « musique d'aéroport ». Se séparer pour mieux se retrouver, se tourner le dos pour mieux s'étreindre ensuite, cesser de s'aimer pour mieux retomber amoureux. Il a gobé ça. Quelle andouille ! Entre sa passivité et la duplicité de ma mère s'est ouverte la fente fétide qui a spontanément engendré cet oncle asticot. Et moi, tapi à l'intérieur de mon domaine privé, dans un étouffant crépuscule prolongé, je rêve et m'impatiente.

De quoi je serais capable si j'étais en pleine possession de mes moyens ! Disons dans vingt-huit ans. En jean moulant et délavé, les abdominaux saillants, la démarche souple d'une panthère, temporairement immortel. J'irais chercher mon vénérable père en taxi à Shoreditch et, sourd aux protestations de son épouse Trudy, je le réinstallerais dans sa bibliothèque, dans son lit. J'attraperais le vieil Oncle Asticot par la peau du cou pour le jeter dans le caniveau ombragé de Hamilton Terrace. Je ferais taire ma mère d'un baiser insouciant sur la nuque.

Mais voici la réalité la plus contraignante de l'existence : c'est toujours ici et maintenant, jamais plus tard et ailleurs. Or ici et maintenant, on grille sous l'effet de la canicule à Londres, sur un balcon fissuré. J'entends ma mère emplir à nouveau son verre, le « plop » des glaçons en plastique, son petit soupir plus angoissé que bienheureux. Un quatrième verre, donc. Elle doit me trouver assez grand pour le supporter. Et je le suis. On s'enivre, car à cet instant même, son amant est en grande conversation avec son frère dans le bureau aveugle des éditions Cairncross Press.

Pour me divertir je les épie par la pensée. Un pur exercice de l'imagination. Rien de réel là-dedans.

47

Les liasses moelleuses du prêt sont posées sur une table encombrée.

« Elle t'aime vraiment, John, mais elle m'a chargé, en tant que proche digne de confiance, de te demander de prolonger encore un peu la séparation. Seul espoir de sauver votre couple. Hum... Tout finira par s'arranger. J'aurais dû me douter que tu avais des loyers impayés. Mais... Je t'en prie, accepte, prends cet argent, laisse-lui un espace de liberté. »

Entre eux sur la table, cinq mille livres en billets crasseux de cinquante livres, cinq liasses malodorantes de papier-monnaie rouge. De part et d'autre, des piles branlantes de recueils de poèmes et de manuscrits, des crayons bien taillés, deux cendriers de verre abondamment remplis, une bouteille de scotch — un Tomintoul délicat dont il reste deux ou trois centimètres —, un verre à whisky en cristal avec une mouche morte gisant sur le dos, plusieurs comprimés d'aspirine dans un Kleenex propre. Les traces sordides d'un honnête labeur.

Au lieu de quoi mon père répond : « C'est arrivé hier. Ça te dirait d'écouter un poème sur une chouette ? »

Exactement le genre de digression fantaisiste que Claude abhorrait, enfant. Il secoue la tête : *Non, par pitié épargne-moi ça*, mais c'est trop tard.

Mon père a dans sa main squameuse une feuille imprimée.

« Vestale sanguinaire », commence-t-il. Il aime bien les hexamètres.

« Donc tu n'en veux pas, coupe son frère avec mauvaise humeur. Très bien. » De ses doigts vermiculaires de banquier il rassemble les liasses, en tapote le bord à la surface de la table, sort un élastique de nulle part, et deux secondes plus tard il a remis l'argent dans une poche intérieure de son blazer à boutons d'argent et se lève, l'air échauffé et écœuré.

Sans hâte, mon père lit les vers suivants : « Ta cruauté stridente / Donne un frisson étrange. » Puis il s'interrompt et ajoute tout bas : « Tu dois vraiment partir ? »

Aucun observateur attentif ne pourrait décrypter cet échange codé entre frères, sa tristesse éphémère. Les pénalités, les règles ont été fixées il y a trop longtemps pour être révisées. La richesse relative de Claude doit se passer de reconnaissance. Il demeure le petit frère médiocre, étouffé, furieux. Mon père est perplexe devant le plus proche membre de sa famille, mais juste un peu. Il reste sur ses positions, semble moqueur. Or il ne se moque pas. C'est pire : il s'en fiche et sait à peine qu'il s'en fiche. Des loyers, de l'argent de Claude ou de sa proposition. Mais, en homme courtois, il raccompagne poliment son visiteur ; une fois rassis à sa table de travail, les liasses de billets qui s'y trouvaient sont oubliées et Claude avec elles. Il a de nouveau le crayon dans une main, une cigarette dans l'autre. Il va poursuivre la seule tâche qui compte, relire les épreuves des poèmes pour l'imprimeur, et ne lèvera pas les yeux avant qu'il soit dix-huit heures et temps de prendre un whisky coupé d'eau. Il commencera par incliner le verre pour faire tomber la mouche.

Comme après un long voyage, je retourne à l'utérus maternel. Rien n'a changé sur le balcon, sauf le fait que je me retrouve un peu plus éméché. Comme pour saluer mon retour, Trudy vide le fond de la bouteille dans son verre. Les glaçons en plastique ont perdu leur fraîcheur, le vin est presque tiède, mais elle a raison, autant finir la bouteille. Ce vin ne se gardera pas. La brise agite encore les feuilles des marronniers, la circulation de l'après-midi s'intensifie. Alors que le soleil décline, il fait plus chaud. Mais la chaleur ne me dérange pas. Lorsque les dernières gouttes de sauvignon arrivent, je revois mes positions. Je me suis évadé, j'ai escaladé les barbelés sans échelle ni corde, libre comme l'air, laissant derrière moi mon ici et mon maintenant. Ma réalité contraignante n'en était pas une. Je peux m'échapper dès que j'en ai envie, jeter Claude dehors, aller voir mon père à son bureau, être un espion invisible mais aimant. Le cinéma en fait-il autant ? Je le découvrirai. On pourrait gagner sa vie en organisant ce genre d'excursions. Mais le réel, même contraignant, fascine, et j'attends avec impatience que Claude revienne pour nous raconter ce qui s'est vraiment passé. Ma version n'est sûrement pas la bonne.

Ma mère aussi a envie de savoir. Si elle ne buvait pas pour deux, si je ne partageais pas le fardeau, elle aurait roulé par terre. Au bout de vingt minutes nous rentrons et traversons la bibliothèque, puis nous montons dans la chambre. Il faut se méfier, quand on traverse cette maison pieds nus. Ma mère crie de douleur en marchant sur quelque chose, nous faisons une embardée et elle se cramponne à la rampe. Puis nous ne bougeons plus pendant qu'elle examine la plante de son pied. Son juron est marmonné calmement, donc il doit y avoir du sang, mais pas trop. Elle rejoint la chambre en boitillant, laissant peut-être des traces sur ce que je sais être une moquette écrue très sale, jonchée de vêtements et de chaussures abandonnés, de valises à moitié vides après des voyages qui datent d'avant ma conception.

50

Nous arrivons dans la salle de bains pleine d'échos, une vaste pièce crasseuse sens dessus dessous, à ce que j'ai entendu. Ma mère ouvre un tiroir, inventorie avec agacement le contenu dans un bruit de ferraille et d'étoffe, essaie un autre tiroir, et repère dans le troisième un pansement pour sa coupure. Assise sur le rebord de la baignoire, elle pose son malheureux pied en travers du genou opposé. De petits grognements et des soupirs exaspérés suggèrent que la coupure est difficile à atteindre. Si seulement je pouvais m'agenouiller à ses pieds pour l'aider! Bien qu'elle soit jeune et mince, mon volume la gêne pour se pencher en avant. Dans ce cas, décide-t-elle, plus solide sur ses jambes, autant faire un peu de place pour s'asseoir sur le carrelage. Mais ce n'est pas facile non plus. Par ma faute.

Nous en sommes là quand nous entendons la voix de Claude, un cri venant du bas de l'escalier.

«Trudy! Oh mon Dieu! Trudy!»

Des pas précipités martèlent le sol, et il appelle à nouveau ma mère. Puis son souffle haletant emplit la salle de bains.

«Je me suis entaillé le pied sur un stupide morceau de verre.

— Il y a du sang partout dans la chambre. J'ai cru...» Il ne nous dit pas qu'il a espéré ma disparition. À la place il déclare: «Laisse-moi faire. On ne devrait pas commencer par désinfecter?

— Colle-moi ça dessus.

— Ne bouge plus.» À son tour de grogner et de soupirer. Ensuite: «Tu as bu?

— Va te faire foutre. Mets ce sparadrap.»

Enfin c'est fait et il l'aide à se relever. Nous tanguons ensemble.

« Nom de Dieu ! Combien de verres ?

— Un seul. »

Elle se rassied sur le rebord de la baignoire.

Il s'éloigne, va dans la chambre et revient une minute plus tard. « Jamais on n'enlèvera ce sang de la moquette.

— Essaie de frotter avec quelque chose.

— Je te répète que ça ne partira pas. Regarde. Voilà une tache. Essaie toi-même. »

J'ai rarement entendu Claude si catégorique. Pas depuis : « Bien sûr qu'on peut. »

Ma mère remarque elle aussi la différence et demande : « Que s'est-il passé ? »

La voix de Claude se fait plaintive.

« Il a pris l'argent sans me remercier. Et retiens ça. Il a résilié le bail de son appartement de Shoreditch. Il revient vivre ici. Il assure que tu as besoin de lui, même si tu prétends le contraire. »

Dans la salle de bains, l'écho se tait. Leur respiration mise à part, le silence règne pendant qu'ils réfléchissent. Je devine qu'ils se dévisagent, se sondent mutuellement, un long regard éloquent.

« Eh bien voilà », déclare-t-il enfin, avec sa vacuité familière. Il attend un peu, puis ajoute : « Alors ? »

Là, le cœur de ma mère commence à battre en accéléré. Non seulement plus vite, mais plus fort, comme les coups de boutoir de canalisations défaillantes. Il se passe également quelque chose dans ses entrailles. Ses intestins se relâchent avec un couinement prolongé et, plus haut, quelque part au-dessus de mes pieds, des sucs courent dans les tubes sinueux vers des destinations inconnues. Son diaphragme se soulève. Je colle mon oreille à la paroi. À cause de ce crescendo, il serait facile de rater une information capitale.

Le corps ne ment pas, mais l'esprit est une autre contrée, car lorsque ma mère reprend enfin la parole, c'est d'un ton égal, agréablement posé. « Je suis d'accord. »

Claude se rapproche, parle tout doucement, chuchotant presque. « Mais... Tu penses à quoi ? »

Ils s'embrassent et elle se met à trembler. Je sens les bras de Claude l'enlacer. Ils s'embrassent à nouveau, sur la bouche, sans un son.

« Flippant », dit-elle.

Comme souvent, il lui donne la réplique : « Mais excitant. »

Pourtant ils ne rient pas. Claude plaque son ventre contre celui de ma mère. Dire qu'ils sont émoustillés dans un moment pareil ! Je suis tellement ignorant. Elle trouve sa braguette, descend la fermeture Éclair, caresse Claude pendant qu'il glisse son index sous le short en jean. Je perçois une pression récurrente sur mon front. Allons-nous monter dans la chambre ? Non, Dieu merci, Claude revient au sujet.

« Décide-toi.

— J'ai peur.

— N'oublie pas. Dans six mois de temps. Chez moi, avec sept millions de livres à la banque. Et le bébé en nourrice quelque part. Mais. Ce sera... hum... quoi ? »

Le côté pratique de sa question le calme, l'autorise à retirer son index. Mais le pouls de ma mère, qui commençait à ralentir, fait un bond. L'effet du danger, pas du désir. La pulsation de son sang me traverse par à-coups comme de lointains tirs d'artillerie et je la sens aux prises avec un choix difficile. Je suis l'un de ses organes, indissociable de ses pensées. Complice de ce qu'elle projette. Quand la décision arrive enfin, cet ordre lancé dans un murmure, ce terme plein de traîtrise, semble sortir de ma bouche innocente. Lorsqu'ils s'embrassent encore, elle l'articule dans la bouche de son amant. Mon premier mot.

« Empoisonnement. »

5

Le solipsisme sied si bien au bébé encore à naître. Pendant que Trudy aux pieds nus cuve nos cinq verres de vin sur le canapé du salon et que notre demeure crasseuse s'enfonce plus avant dans la nuit, je m'attarde autant sur le « en nourrice » de mon oncle que sur l'« empoisonnement » décidé par ma mère. Pareil à un DJ courbé sur ses platines, j'échantillonne cette phrase comme sur un disque rayé : « Et... le bébé en nourrice quelque part. » La répétition met la vérité à nu et l'avenir qui m'attend apparaît dans toute sa clarté. « En nourrice » n'est qu'un euphémisme trompeur pour « abandonné ». De même que « bébé » me désigne. « Quelque part » est tout aussi mensonger. Quelle mère cruelle ! Cela causera ma perte, ma déchéance, car il n'y a que dans les contes de fées que des bébés non désirés sont adoptés par des familles mieux nées. La duchesse de Cambridge ne va pas se charger de moi. Cette envolée d'apitoiement sur soi me dépose au treizième étage de la tour sinistre que ma mère dit contempler parfois, avec tristesse, par la fenêtre d'une chambre à l'étage. Elle contemple et songe : *Si proche, et pourtant aussi lointaine que la vallée de Swat. Comment peut-on y vivre ?*

Bonne question. Élevé sans livres, un régime à base de jeux vidéo, de sucre, de gras et de gifles. Le même obscurantisme que dans la vallée de Swat. Pas d'histoire au coucher pour favoriser la plasticité de mon cerveau de petit enfant. L'étroitesse du paysage mental de la paysannerie anglaise moderne. Quelle différence avec l'élevage des asticots dans l'Utah ? Pauvre de moi, pauvre gosse de trois ans au crâne rasé et au torse rebondi, en pantalon de camouflage, perdu dans le brouhaha de la télévision et les brumes du tabagisme passif. Les chevilles tatouées, enflées et flageolantes de ma mère adoptive vont et viennent près de moi, suivies par le chien malodorant du compagnon défaillant de celle-ci. Mon père bien-aimé, sauve-moi de cette vallée de la Désolation. Entraîne-moi dans la mort. Laisse-moi être empoisonné auprès de toi plutôt que mis « en nourrice quelque part ».

Complaisance typique du troisième trimestre de la grossesse. Tout ce que je sais des Anglais pauvres, je le tiens de la télé et des critiques de romans satiriques. Autant dire rien. Mais je peux raisonnablement soupçonner la pauvreté d'être une privation sur tous les plans. Pas de leçons de clavecin au treizième étage. Si l'hypocrisie est le seul prix à payer, j'accepterai la vie bourgeoise et m'estimerai bien loti. Plus encore, je stockerai du grain, je m'enrichirai, j'aurai un blason. NON SANZ DROICT, et pour moi c'est l'amour d'une mère, un droit inaliénable. Ses projets d'abandon, je refuse d'y consentir. Ce ne sera pas moi l'exilé, mais elle. Je la ligoterai avec ce cordon gluant, réussirai le jour de ma naissance d'un seul regard groggy de nouveau-né, d'un seul cri plaintif de mouette solitaire à harponner son cœur. Ensuite, contrainte par cet amour à devenir ma nourrice à demeure, sa liberté disparaissant au loin comme le rivage d'une terre natale, Trudy sera à moi et non à Claude, pas plus capable de m'abandonner que de s'arracher les seins et de les jeter par-dessus bord. Moi aussi je peux être cruel.

*

J'ai continué sur ma lancée, ivre sans doute, expansif et incohérent, jusqu'à ce qu'elle se réveille avec des grogne-ments et cherche à tâtons ses sandales sous le canapé. Ensemble nous descendons en boitant vers la cuisine humide où, dans ce demi-jour qui cacherait presque la crasse, elle se penche pour boire longuement de l'eau froide au robinet. Toujours en tenue de plage. Elle allume. Pas trace de Claude, pas de mot. Nous allons jusqu'au réfrigérateur et elle jette un coup d'œil plein d'espoir à l'intérieur. Je vois — je m'ima-gine voir sur une rétine vierge — son bras pâle, hésitant, flotter dans la lumière froide. J'adore ce bras si beau. Sur une clayette du bas quelque chose d'autrefois vivant, désormais purulent, paraît bouger dans un sac en papier, lui faisant refermer la porte avec un soupir de capitulation. Nous tra-versons la pièce en direction d'un placard où elle trouve un sachet de mélange apéritif. Peu après elle compose le numéro de son amant.

« Tu es encore chez toi ? »

Les cacahuètes qu'elle croque m'empêchent d'entendre Claude.

« Bien, dit-elle après avoir écouté. Apporte-le. Il faut qu'on parle. »

De la douceur avec laquelle elle raccroche, je conclus que Claude est en route. Comme si ça ne suffisait pas, j'ai mon tout premier mal de tête. Il enserre mon crâne d'un bandana criard, d'une douleur insouciante qui danse au rythme du pouls maternel. Si Trudy voulait en prendre sa part, elle pourrait aller chercher un analgésique. Elle en porte l'entière responsabilité. Mais elle est retournée affronter le réfrigérateur et a déniché tout en haut, sur une étagère en plexiglas, un antique morceau de parmesan d'une vingtaine de centimètres, vieux comme le mal, dur comme un diamant. Si elle peut y planter les dents, nous souffrirons ensemble ; après les cacahuètes, une deuxième marée de sel déferlera dans les rias de l'estuaire, transformant notre sang en une épaisse boue saumâtre. De l'eau, il faudrait qu'elle boive plus d'eau. Mes mains cherchent mes tempes. Quelle injustice monstrueuse, de souffrir ainsi avant d'être au monde !

J'ai entendu affirmer qu'il y a longtemps, la souffrance avait engendré la conscience. Pour éviter de graves ennuis, la moindre créature a besoin d'élaborer son propre circuit de la punition et de la récompense, à partir d'expériences vécues. Pas un simple clignotant rouge dans la tête — qui est là pour le voir ? — mais une piqûre, une douleur, un élancement qui fasse vraiment mal. L'adversité nous a imposé la lucidité, et ça marche, on se brûle quand on s'approche trop du feu, quand on aime trop fort. Ces sensations marquent le début de l'invention du moi. Et si ça marche, pourquoi ne pas être dégoûté par les excréments, avoir peur du bord de la falaise ou des inconnus, garder en mémoire les insultes et les faveurs, aimer le sexe et la nourriture ? Dieu a dit : « Que la souffrance soit. » Et il y a eu la poésie. Plus tard.

Alors à quoi servent les maux de tête, les peines de cœur ? Contre quoi me met-on en garde, que me dit-on de faire ? Ne laisse pas ton oncle incestueux et ta mère empoisonner ton père. Ne perds pas de précieuses journées à rester oisif, la tête en bas. Nais et agis !

Trudy s'installe sur une chaise de cuisine avec un gémissement dû à la gueule de bois, une mélodie curative. Il n'y a pas trente-six solutions pour occuper la soirée qui suit un après-midi trop arrosé. Seulement deux, en fait : le remords, ou bien boire davantage et ensuite le remords. Elle a choisi la première, mais il est encore tôt. Le fromage gît sur la table, déjà oublié. Claude revient du lieu où vivra ma mère, devenue millionnaire et débarrassée de moi. Il va traverser Londres en taxi car il n'a jamais appris à conduire.

J'essaie de la voir comme elle est, comme elle doit être dans la maturité gravide de ses vingt-huit ans, juvénilement (je tiens à cet adverbe) affalée sur la table de la cuisine, avec ses tresses blondes de guerrière saxonne et sa beauté défiant le réalisme, mince sauf là où je me trouve, presque nue, le haut des bras rosi par le soleil, cherchant un endroit où poser les coudes entre les assiettes enduites de jaune d'œuf vieux d'un mois, les miettes de toasts et les grains de sucre sur lesquels les mouches vomissent quotidiennement, les briques de lait à l'odeur pestilentielle et les cuillers poisseuses, les enveloppes d'offres publicitaires sur lesquelles divers liquides ont formé des croûtes en séchant. Je m'efforce de la voir et de l'aimer comme je le dois, puis j'imagine les fardeaux qui pèsent sur elle : le méchant qu'elle a pris pour amant, le saint qu'elle va abandonner, le forfait qu'elle s'est engagée à commettre, l'enfant chéri qu'elle va laisser à des inconnus. Tu l'aimes encore ? Si tu ne l'aimes plus, alors tu ne l'as jamais aimée. Mais je l'ai aimée, vraiment. Je l'aime.

Elle se souvient de la présence du fromage, saisit l'outil le plus proche et l'y plante un bon coup. Un morceau se détache et le voilà dans sa bouche, un caillou à sucer pendant qu'elle contemple sa situation. Quelques minutes s'écoulent. Pas brillant, comme situation, me dis-je, même si finalement notre sang n'épaissira pas, car le sel qu'elle avale, elle en aura besoin pour les larmes sur ses joues. Déchirant, pour un enfant, d'entendre sa mère pleurer. Elle affronte le monde impossible qu'elle s'est fabriqué avec tout ce à quoi elle a consenti, ses nouvelles tâches qu'il me faut énumérer à nouveau : tuer John Cairncross et vendre sa maison natale, partager l'argent, abandonner le gosse. C'est moi qui devrais pleurer. Mais les enfants encore à naître sont des stoïques aux lèvres pincées, des bouddhas en immersion, sans expression. Pour nous, contrairement à nos aînés indignes, les bébés braillards, les larmes sont dans l'ordre des choses. *Sunt lacrimae rerum.* Les vagissements infantiles témoignent d'une méprise totale. Tout est dans la patience. Et dans la réflexion !

Trudy s'est ressaisie lorsque nous entendons, dans l'entrée, son amant lâcher des jurons en marchant sur les ordures avec ces derbys imposants qu'elle aime lui voir aux pieds. (Il a sa propre clé. C'est mon père qui est obligé de sonner.) Claude descend dans la cuisine en sous-sol. Je reconnais le bruissement d'un sac plastique contenant des provisions, ou l'arme du crime, ou les deux.

Il remarque son changement d'expression : « Tu as pleuré. »

Moins une marque de sollicitude qu'une constatation ou un rappel à l'ordre. Elle hausse les épaules et détourne les yeux. Il sort une bouteille du sac plastique, la pose lourdement à un endroit où ma mère peut voir l'étiquette.

« Un menetou 2010 de Jean-Max Roger, cuvée Le Charnay. Tu te souviens ? Son voisin, Didier Dagueneau, est mort dans un accident d'avion. »

Il parle de la mort.

« Si c'est un blanc bien frais, il me plaira. »

Elle a oublié. Le restaurant où le serveur avait mis du temps à allumer la bougie. Elle avait adoré ce sancerre, et moi encore plus. Maintenant, une bouteille qu'on débouche, le tintement des verres — j'espère qu'ils sont propres —, et Claude sert le vin. Je peux difficilement refuser.

« À la tienne ! » Le ton de Trudy s'est radouci.

Il la ressert : « Raconte-moi ce qui s'est passé. »

Quand elle commence à parler, sa gorge se serre. « Je pensais à notre chat. J'avais quinze ans. Il s'appelait Hector, un vieux matou adorable, le chouchou de la famille, deux ans de plus que moi. Noir, avec des chaussettes et un tablier blancs. Un jour, je suis rentrée du lycée d'une humeur massacrante. Il était sur la table de la cuisine où il n'avait pas le droit d'aller. Il cherchait à manger. Je lui ai donné une bonne tape qui lui a fait faire un vol plané. Ses vieux os ont atterri dans un craquement. Après, il a disparu pendant des jours. On a mis des affiches sur les arbres et les lampadaires. Puis quelqu'un l'a trouvé sur un tas de feuilles mortes où il s'était tapi sans bruit pour mourir. Pauvre vieil Hector, raide comme un piquet. Je ne l'ai jamais avoué, je n'en ai pas eu le courage, mais c'est sûrement moi qui l'ai tué. »

Rien à voir avec son vil projet, donc, ni avec son innocence perdue, ni avec l'enfant qu'elle va confier à d'autres.
Elle se remet à pleurer, plus fort qu'avant.

« Il avait fait son temps ou presque, dit Claude. Tu ne
peux pas savoir si c'est toi. »

Elle sanglote. « Mais si, mais si. C'est moi ! Oh mon
Dieu ! »

Je sais, je sais. J'ai entendu ça où, déjà ? À propos de
Stephen Dedalus dans l'*Ulysse* de Joyce : « Il peut tuer sa
mère, mais pas porter un pantalon gris. » Bon, soyons généreux. Une jeune femme au ventre et aux seins gonflés à craquer, la menace des douleurs de la malédiction divine, des
flots de lait et de merde à venir, de la traversée sans sommeil
d'un nouveau territoire plein de corvées, où un amour brutal
lui volera sa vie — et où le fantôme d'un vieux chat la poursuit sans bruit dans ses chaussettes blanches, demandant
réparation pour sa propre vie volée.

Mais quand même. Cette femme qui projette froidement
de... en larmes à cause de... Inutile de mettre les points sur
les « i ».

« Les chats peuvent être une sacrée calamité, dit Claude
pour avoir l'air de se rendre utile. Ils font leurs griffes sur
les meubles. Mais... »

Il n'a pas d'argument contradictoire. Nous attendons que
ma mère ait pleuré toutes les larmes de son corps. Puis il est
temps de se resservir un verre. Pourquoi pas ? Deux gorgées,
une pause pour neutraliser les effets, et Claude fouille à nouveau dans son sac, brandit un cru différent. Un bruit plus
doux lorsqu'il pose la bouteille. Elle est en plastique.

Cette fois Trudy lit l'étiquette, mais pas à voix haute.
« En été ?

— L'antigel contient de l'éthylène-glycol, un composant assez efficace. J'en ai donné un jour au chien d'un voisin, un énorme berger allemand qui me rendait fou en aboyant jour et nuit. Quoi qu'il en soit. Ni couleur ni odeur, un goût agréable, vaguement sucré, parfait pour un smoothie. Hum. Ça bousille les reins, des douleurs atroces. Des cristaux microscopiques découpent les cellules. Il titubera comme un pochard, la voix pâteuse, mais ne puera pas l'alcool. Nausées, vomissements, oppression respiratoire, crise d'épilepsie, infarctus, coma, insuffisance rénale. Rideau. Ça prend un certain temps, à condition que personne ne gâche tout avec un traitement médicamenteux.

— Ça laisse des traces ?

— Tout laisse des traces. Il faut penser aux avantages. Facile à se procurer, même en été. Le shampoing à moquette marche aussi, mais c'est moins bon. Et moins facile à administrer. Ça descend tout seul. On devra juste t'éloigner le moment venu.

— Moi ? Et toi ?

— Ne t'inquiète pas. Je resterai à l'écart. »

Ce n'est pas ce que ma mère voulait dire, mais elle laisse tomber.

6

Trudy et moi sommes à nouveau ivres et en meilleure forme, alors que Claude, qui a commencé après nous et avec une masse corporelle plus importante, a du retard à rattraper. Elle et moi partageons deux verres de sancerre, il boit le reste, puis replonge dans son sac pour en sortir un bourgogne. Le flacon de glycol est près de la bouteille de sancerre vide, sentinelle surveillant nos libations. Ou *memento mori*. Après un blanc qui transperce, le pinot noir est la main caressante d'une mère. Ah, être en vie tant qu'un tel cépage existe ! Une fleur, un bouquet de paix et de raison. Personne ne semble vouloir lire l'étiquette à voix haute, je suis obligé de deviner et je me hasarde à identifier un échezeaux grand cru. Enfoncez-moi dans la tempe le pénis de Claude ou, moins angoissant, le canon d'un pistolet pour que je donne le nom du domaine, et je citerai la Romanée-Conti, rien que pour le cassis épicé et la cerise noire. Les notes de violette et la finesse des tanins rappellent ce fameux été 2005 paresseux et clément, épargné par la canicule, même si un vague arôme aguicheur de moka, ainsi qu'un autre, plus proche, de banane tigrée, évoquent le domaine Jean Grivot, millésime

2009. Jamais je ne saurai. Lorsque cet ensemble de parfums mélancoliques, composé à l'apogée de la civilisation, me parvient, me traverse, je me retrouve, au milieu de l'horreur, d'humeur méditative.

Je commence à suspecter que mon impuissance va durer. Accordez-moi tout l'allant que le corps humain peut supporter, allez chercher mon moi de jeune homme panthère aux muscles sculptés et au long regard froid, chargez-le de la mission la plus radicale : tuer son oncle pour sauver son père. Armez-le d'un cric, d'un gigot de mouton surgelé, postez-le derrière la chaise de son oncle, où il peut voir l'antigel et brûler d'agir. Posez-vous la question : serait-il — serais-je — capable de fracasser cette boule d'os chevelue et d'en répandre la matière grise sur la crasse de la table ? Puis d'assassiner sa mère, l'unique témoin, et de se débarrasser des deux cadavres dans une cuisine en sous-sol, tâche que l'on n'accomplit qu'en rêve ? Et, plus tard, de nettoyer cette cuisine — autre tâche impossible ? Ajoutez la perspective de la prison, de l'ennui qui rend fou, de l'enfer que sont les autres, peu fréquentables de surcroît. Votre codétenu, encore plus costaud que vous, réclame la télé toute la journée pendant trente ans. Envie de le contrarier ? Eh bien regardez-le remplir de pierres une taie d'oreiller jaunie et poser lentement les yeux sur vous, sur votre propre boîte crânienne.

Ou bien envisagez le pire. Le forfait est commis : les dernières cellules rénales de mon père sont cisaillées par un cristal de poison. Il a vomi son cœur et ses poumons sur ses genoux. L'agonie, puis le coma, puis la mort. Si on le vengeait ? Mon avatar hausse les épaules et enfile son manteau, murmurant avant de sortir que les crimes d'honneur n'ont pas leur place dans la cité moderne. Laissons-lui la parole.

« Se faire justice soi-même, c'est dépassé, réservé aux vieux Albanais de clans rivaux et aux groupuscules de l'islam tribal. La vengeance est morte. Hobbes avait raison, mon jeune ami. L'État doit avoir le monopole de la violence, exercer le pouvoir pour nous en imposer à tous.

— Dans ce cas, gentil avatar, téléphone dès maintenant au Léviathan, appelle la police, oblige-les à enquêter.

— Sur quoi, au juste ? L'humour noir de Claude et de Trudy ? »

Le policier : « Et ce flacon d'éthylène-glycol sur la table, madame ?

— Un plombier nous l'a conseillé, monsieur l'agent, pour mettre hors gel nos radiateurs d'un autre âge. »

« Dans ce cas, cher et meilleur moi futur, rends-toi à Shoreditch, préviens mon père, révèle-lui tout ce que tu sais.

— Que la femme qu'il aime et vénère projette de l'assassiner ? D'où me vient une telle information ? J'ai suivi des confidences sur l'oreiller, caché sous le lit ? »

Ainsi raisonne l'incarnation idéale de la force et de la compétence. Alors quelles sont mes chances, à moi qui suis aveugle, sourd, la tête en bas, un presque enfant vivant encore chez sa mère, pendu par les artères et les veines à ses jupes de future meurtrière ?

Mais chut ! Les conspirateurs parlent.

« Ce n'est pas une mauvaise chose qu'il veuille se réinstaller ici, dit Claude. Résiste pour la forme, puis laisse-le revenir.

— D'accord, réplique-t-elle, sarcastique. Et je lui prépare un smoothie de bienvenue.

— Je n'ai pas dit ça. Mais. »

Mais je pense qu'il s'en est fallu de peu.

Ils s'interrompent pour réfléchir. Ma mère reprend son verre. Son épiglotte monte et descend lentement lorsqu'elle boit, et le liquide se déverse par les voies naturelles, passant — comme tant de choses — près de la plante de mes pieds, et décrivant une boucle pour arriver jusqu'à moi. Comment la détester ?

Elle pose son verre : « On ne peut pas le faire mourir ici. » Elle parle si facilement de sa mort.

« Tu as raison. Shoreditch, c'est mieux. Tu pourrais aller le voir.

— Et apporter une bouteille d'antigel millésimé en souvenir du bon vieux temps !

— Tu emportes un pique-nique. Saumon fumé, salade de chou cru, petits biscuits nappés de chocolat. Et... la boisson.

— Aargh ! » Difficile de transcrire l'explosion de scepticisme de ma mère. « Je le plaque, je le mets à la porte de chez lui, je prends un amant. Et ensuite je lui offre un pique-nique ! »

Même moi je sens que mon oncle s'offusque de ce « je prends un amant » — comme s'il n'en était qu'un parmi tant d'autres anonymes, passés et à venir. Et puis il y a ce « prends », ce « un ». Le malheureux. Il essaie juste d'aider. Il est assis face à une superbe jeune femme aux tresses blondes, seulement vêtue de son haut de maillot de bain et d'un short en jean dans une cuisine étouffante : un somptueux fruit mûr, un trophée qu'il ne supporterait pas de perdre.

« Non », dit-il avec précaution. L'affront à son amour-propre a rendu sa voix plus aiguë. « Il s'agit d'une réconciliation. Tu fais amende honorable. Tu lui demandes de revenir. De reprendre la vie commune. Une offrande de paix, en quelque sorte, une occasion de faire la fête, de manger ensemble. De se réjouir!»

Le silence de ma mère est sa récompense. Elle s'interroge. Comme moi. Toujours la même question. Jusqu'où va la bêtise de Claude?

Encouragé, il ajoute: «Une salade de fruits serait une autre possibilité.»

Il y a de la poésie dans son prosaïsme, une forme de nihilisme qui pimente ses platitudes. À moins que le banal ne désarme au contraire la méchanceté la plus vile. Lui seul pouvait enfoncer le clou, ce qu'il fait après cinq secondes de réflexion.

«Une glace serait hors de question.»

À l'évidence. Il fallait le préciser. Qui ferait ou pourrait faire de la crème glacée avec de l'antigel?

Trudy soupire. «Tu sais, Claude, murmure-t-elle, je l'ai aimé.»

Claude la voit-elle comme je me l'imagine? Son regard vert s'embue et, une fois encore, une petite larme traverse sa pommette en douceur. Sa peau a une moiteur rosée, de fins cheveux se sont échappés de ses tresses et brillent comme des filaments incandescents sous la lumière du plafonnier.

«On s'est rencontrés trop jeunes. Je veux dire trop tôt. Sur une piste cendrée. Il lançait le javelot pour son club et a battu un record local. J'ai craqué pour lui en le regardant courir ainsi, avec sa lance. Comme un dieu grec. Une semaine plus tard, il m'emmenait à Dubrovnik. On n'avait même pas de balcon. Il paraît que c'est une très belle ville.»

J'entends le grincement gêné d'une chaise de cuisine. Claude voit d'ici les plateaux du room service empilés à la porte de la chambre, les draps tachés en désordre, cette jeune fille de dix-neuf ans nue devant une coiffeuse en contreplaqué peint, son dos parfait, sur ses genoux la serviette éponge de l'hôtel usée à force d'être lavée — un adieu à toute pudeur. John Cairncross est exclu par jalousie, maintenu hors champ par pruderie, mais immense, et nu lui aussi.

Indifférente au mutisme de son amant, Trudy s'empresse de terminer sur une note plus gaie, avant que sa gorge serrée ne la réduise au silence. « Pendant tant d'années on a tenté d'avoir un bébé. Et puis, juste au moment où… »

« Juste au moment où » ! Locution conjonctive sans valeur ! Alors même qu'elle se lassait de mon père et de la poésie, j'étais trop bien installé pour qu'on me déloge. Maintenant elle pleure John comme elle a pleuré Hector le chat. Son tempérament ne lui permet peut-être pas un second assassinat.

« Hum. » Claude finit par mettre son grain de sel. « Quand le vin est tiré… »

C'est le cas de le dire, s'agissant d'un fœtus alcoolisé comme moi, mais il s'agit quand même de mon avenir.

Il attend patiemment pour exposer son idée de piquenique. Ça n'aide pas, d'entendre Trudy pleurer son rival. À moins qu'il ne s'en concentre que mieux. Il tambourine du bout des doigts sur la table, l'un de ses tics. Debout il agite son trousseau de clés dans sa poche, ou toussote en vain pour s'éclaircir la voix. Ces automatismes inconscients sont sinistres. Claude sent le soufre. Dans l'immédiat nous en sommes au même point, car j'attends moi aussi, troublé par mon impatience maladive de savoir ce qu'il a en tête, comme un spectateur avide de connaître la fin d'une pièce. Il peut difficilement faire un exposé pendant qu'elle pleure.

Une minute plus tard elle se mouche et dit d'une voix rauque : « En tout cas, maintenant je le déteste.

— Il t'a rendue très malheureuse. »

Elle acquiesce de la tête et se mouche à nouveau. Nous écoutons Claude faire l'article pour son plan. Son débit est celui d'un prédicateur itinérant qui aiderait ma mère à trouver les voies du salut. Il est essentiel, insiste-t-il, qu'elle et moi nous rendions au moins une fois à Shoreditch avant la visite fatale. Impossible de cacher à un technicien en identification criminelle qu'elle était allée là-bas. Utile d'établir qu'elle et John s'étaient réconciliés.

Il faut que ça ressemble à un suicide, comme si Cairncross s'était lui-même concocté un cocktail pour masquer le goût du poison, déclare-t-il. Lors de son ultime visite, elle laissera donc derrière elle les flacons vides ayant contenu l'antigel et le smoothie acheté en magasin. Ceux-ci ne devront garder aucune trace d'empreinte digitale. Il faudra qu'elle s'enduise de cire le bout des doigts. Il a ce qu'il faut. Et ça marche fichtrement bien. Avant de quitter l'appartement de John, elle mettra les restes du pique-nique au réfrigérateur. Les cartons ou papiers d'emballage devront eux aussi être vierges de toute empreinte. Il faudra donner l'impression qu'il a mangé seul. En tant qu'héritière, elle sera soumise à une enquête, soupçonnée de meurtre. Donc toute trace de la présence de Claude, en particulier dans la chambre et dans la salle de bains, doit être éradiquée, définitivement effacée, jusqu'au moindre poil, au moindre squame. Et, me dis-je, lisant dans ses pensées, jusqu'au moindre spermatozoïde à la tête et à la queue désormais immobiles. Ça risque de prendre du temps.

Claude poursuit. Inutile de taire les appels téléphoniques qu'elle lui a adressés. Le fournisseur d'accès aura la liste.

« Mais n'oublie pas. Je ne suis qu'un ami. »

Ces derniers mots lui coûtent, d'autant que ma mère les répète comme au catéchisme. Les mots, je commence à en prendre conscience, peuvent faire advenir les choses.

« Tu n'es qu'un ami.

— Oui. Qui passait de temps à autre. Pour bavarder. En tant que beau-frère. Pour donner un coup de main. Rien de plus. »

Ces consignes sont énoncées d'un ton neutre, comme s'il assassinait quotidiennement des frères, des maris pour gagner sa vie — un honnête boucher ayant pignon sur rue, dont le tablier maculé de sang voisine avec les draps et les torchons dans la lessive familiale.

« Écoute, commence Trudy, quand Claude lui coupe la parole à cause d'un détail qui lui revient subitement.

— Tu as vu ? Une maison de notre rue, sur le même trottoir, de la même taille, dans le même état ? À vendre pour huit millions ! »

Ma mère absorbe l'information en silence. C'est le « notre » qu'elle encaisse.

Eh bien voilà. Nous avons hérité d'un million supplémentaire en ne tuant pas mon père plus tôt. Le proverbe a raison : la chance ne doit rien au hasard. Mais. (Comme dirait Claude.) Je ne m'y connais pas encore très bien en matière de meurtre. Il n'empêche que le plan de Claude est plus celui d'un boulanger que d'un boucher. À moitié cuit. L'absence d'empreintes sur le flacon d'antigel éveillera les soupçons. Quand mon père commencera à se sentir mal, qu'est-ce qui l'empêchera d'appeler les urgences? On lui fera un lavage d'estomac. Il se rétablira. Et ensuite?

«Je me fiche du prix des maisons, dit Trudy. On verra plus tard. La question fondamentale est la suivante: où sont les risques que tu prends, en quoi tu t'exposes alors que tu veux une partie de l'argent? Si ça tourne mal et que je suis arrêtée, tu seras où, une fois que j'aurai nettoyé ma chambre pour effacer toute trace de toi?»

Je suis surpris par sa franchise. Et j'éprouve alors non pas tout à fait de la joie, mais son anticipation, une agréable détente dans mes entrailles. Brouille entre les méchants, le complot déjà nul tombe à l'eau, mon père est sauvé.

«Je serai avec toi à chaque étape, Trudy.

— À l'abri chez toi. Alibi en place. Parfait pour te disculper.»

Elle a bien réfléchi. Et à mon insu. C'est une tigresse.

«Le problème, dit Claude, c'est...

— Moi, ce que je veux, l'interrompt ma mère avec une véhémence qui durcit la paroi autour de moi, c'est que tu sois impliqué dans cette affaire — totalement, je veux dire. Et si j'échoue, toi aussi. Si je...»

Un coup de sonnette, puis deux, puis trois, et nous nous figeons. Personne, à ma connaissance, n'est jamais venu sonner à la porte si tard. Le plan de Claude est tellement désespéré qu'il a déjà échoué, car la police débarque. Personne d'autre ne s'obstine à sonner avec tant d'insistance. Ils ont posé des micros dans la cuisine il y a longtemps, ils ont tout entendu. Les événements vont donner raison à Trudy : on va tous nous arrêter. *Bébés en prison* était le titre d'un documentaire radiophonique trop long que j'ai écouté un après-midi. Aux États-Unis, des mères allaitantes condamnées pour meurtre sont autorisées à avoir leur nourrisson dans leur cellule. C'était présenté comme une avancée. Et je me rappelle avoir pensé : *Ces bébés n'ont rien fait de mal. Libérez-les !* Mais bon. Il n'y a qu'en Amérique...

« J'y vais. »

Il se lève et traverse la pièce jusqu'au boîtier du visiophone près de la porte de la cuisine. Il scrute l'écran.

« Ton mari, annonce-t-il avec abattement.

— Mon Dieu. » Ma mère réfléchit en silence. « Inutile de faire comme si je n'étais pas là. Mieux vaut que tu te caches quelque part. Dans la lingerie. Jamais il...

— Il a quelqu'un avec lui. Une femme. Une jeune femme. Plutôt jolie, je dirais. »

Nouveau silence. Nouveau coup de sonnette. Plus long.

La voix de ma mère est posée, quoique tendue. « Dans ce cas, vas-y et fais-le entrer. Mais Claude, mon chéri, sois gentil : range ce flacon d'antigel. »

7

Certains artistes, écrivains ou peintres, s'épanouissent, comme les bébés à naître, dans un espace confiné. L'étroitesse de leur sujet peut troubler ou décevoir. Amours au sein de la petite noblesse anglaise du XVIIIe, vie en mer, lapins doués de parole, sculptures de lièvres, tableaux à l'huile de gens trop gros, portraits de chiens, de chevaux, d'aristocrates, nus de femmes allongées, nativités, crucifixions et assomptions par millions, coupes de fruits, fleurs dans des vases. Pain et fromage hollandais, avec ou sans couteau sur le côté. Certains n'écrivent que sur le moi. Dans les sciences, tel dédiera son existence à un escargot albanais, tel autre à un virus. Darwin a consacré huit ans de la sienne aux cirripèdes. Et la sagesse de son grand âge aux vers de terre. Le boson de Higgs, chose minuscule, peut-être pas même une chose, a représenté la quête de toute une vie pour des milliers de gens. Être enfermé dans une coque de noix, voir le monde dans un camée d'ivoire, dans un grain de sable. Pourquoi pas, quand toute la littérature, tous les arts, toutes les entreprises humaines ne sont qu'un point minuscule dans l'univers des possibles ? Et cet univers même n'est sans doute qu'un point minuscule dans une multitude d'univers, réels ou possibles.

Alors pourquoi pas une poétesse des chouettes ?

Je les reconnais au bruit de leur pas. D'abord c'est Claude qui descend l'escalier menant à la cuisine, puis mon père, suivi par sa nouvelle recrue dans des chaussures à talons hauts, peut-être des bottes, pas l'idéal pour battre les bois à la recherche de l'habitat des chouettes. Par association d'idées nocturnes, je l'habille d'une veste en cuir et d'un jean moulant, noirs ; je la vois jeune, pâle, jolie, indépendante. Mon placenta, telle une antenne radio bien réglée, reçoit des signaux indiquant que ma mère la déteste instantanément. Des pensées irrationnelles dérèglent le pouls de Trudy ; un battement de tambour de mauvais augure, qui s'élève comme d'un lointain village de la jungle, parle de possessivité, de colère, de jalousie. Peut-être des ennuis en perspective.

Dans l'intérêt de mon père je me sens obligé de défendre notre visiteuse : le sujet qu'elle a choisi n'est pas si limité, les chouettes tenant plus de place que les bosons ou les berniques, avec deux cents espèces à leur actif et un large retentissement sur les croyances populaires. Surtout en tant qu'oiseaux de malheur. Contrairement à Trudy avec ses certitudes viscérales, je suis agité par le doute. Ou bien mon père, ni un naïf ni un saint, est venu présenter sa maîtresse, remettre ma mère à sa place (c'est-à-dire dans le passé) et manifester son indifférence face aux infamies de son frère. Ou alors, faisant preuve d'un excès de naïveté et de sainteté, il passe en tout bien tout honneur avec un de ses auteurs comme couverture mondaine, dans l'espoir de profiter de la présence de Trudy aussi longtemps qu'elle tolérera la sienne.

À moins qu'il ne s'agisse d'autre chose encore, trop opaque pour être identifié. Plus simple, dans l'immédiat du moins, de m'en remettre à ma mère et de supposer que cette amie est la maîtresse de mon père.

Aucun enfant, et encore moins un fœtus, n'a jamais maîtrisé l'art de parler de la pluie et du beau temps, ni ne voudrait le faire. C'est une ruse d'adulte, un contrat avec l'ennui et la duplicité. Dans ce cas précis, surtout avec la seconde. Après un raclement hésitant de chaises qu'on déplace, l'offre d'un verre de vin et un bruit de bouchon, une remarque de Claude sur la chaleur arrache à mon père un marmonnement approbateur. Un échange laconique entre les deux frères aboutit au mensonge selon lequel nos visiteurs se trouvaient à passer par là. Trudy garde le silence, même quand on lui présente la poétesse qui se prénomme Elodie. Personne ne commente l'élégante géométrie mondaine qui place à la même table un couple et les amants des deux conjoints levant leurs verres, un tableau vivant et caustique de la modernité.

Mon père ne paraît pas surpris de trouver son frère dans sa cuisine, ouvrant une bouteille, jouant les hôtes. John Cairncross n'a donc jamais été dupe, cocu sans le savoir. Imperturbable, ce père sous-estimé boit son vin à petites gorgées et demande à Trudy comment elle se sent. Pas trop fatiguée, il espère. Ce qui peut, ou pas, être une pique, une allusion sexuelle. Son ton plaintif a disparu. Du détachement ou de l'ironie le remplacent. Seul un désir assouvi a pu le libérer. Trudy et Claude doivent s'interroger sur les raisons de la présence de leur future victime, sur ses intentions, mais poser la question serait inconvenant.

À défaut, Claude demande à Elodie si elle vit dans le quartier. Non, elle habite le Devon, un studio dans une ferme, près d'une rivière — peut-être une façon de laisser entendre à Trudy qu'à Londres, elle va passer la nuit dans le lit de John à Shoreditch. Elle délimite son territoire. J'aime bien sa voix, une version humaine de celle du hautbois, dirais-je, avec une légère fêlure, des voyelles un peu nasillardes. Et, en fin de phrase, cette espèce de gargouillis, de grésillement que les linguistes américains ont baptisé « friture vocale ». Un son qui se répand dans le monde occidental, objet de nombreux débats radiophoniques, d'une origine inconnue, expression d'une sophistication que l'on entend surtout chez les jeunes femmes cultivées, paraît-il. Source d'une agréable perplexité. Avec une voix pareille, elle devrait être de taille face à ma mère.

Rien dans l'attitude de mon père ne suggère que cet après-midi encore, son frère lui offrait cinq mille livres en liquide. Aucune gratitude, toujours la vieille condescendance du frère aîné. De quoi réveiller la haine ancienne de Claude. Et, en moi, quelque chose de plus hypothétique, un ressentiment potentiel. Bien que je prête à mon père le rôle du candide malheureux en amour, j'ai toujours considéré que si la situation avec Claude devenait insupportable et si j'échouais à réunir mes parents, je pourrais aller vivre avec lui, au moins quelque temps. Jusqu'à ce que je retombe sur mes pieds. Mais je ne crois pas que cette poétesse accepterait de se charger de moi — un jean moulant et une veste de cuir noir, ce ne sont pas des vêtements de grossesse. Ils font son charme. De mon point de vue égoïste, mon père serait mieux célibataire. Une beauté pâle et une voix de canard pleine d'assurance ne sont pas mes alliées. Mais peut-être n'y a-t-il rien entre eux, et elle me plaît bien.

Claude vient de dire : « Un studio ? Dans une ferme ? Merveilleux ! » Avec son grésillement urbain, Elodie décrit une cabane à deux pans au bord d'une rivière sombre et tumultueuse avec des rochers de granit entourés d'écume, une passerelle branlante pour la traverser, des bosquets de hêtres et de bouleaux, une clairière ensoleillée, semée d'anémones et de chélidoine, de jacinthes sauvages et d'euphorbe.

« Parfait pour une poétesse de la nature », déclare Claude. C'est à la fois si vrai et si terne qu'Elodie hésite. Il insiste. « À quelle distance de Londres ? » Démontée, elle a du mal à trouver ses mots. « Un peu plus de trois cents kilomètres. »

Elle devine qu'il va la questionner sur la gare la plus proche et la durée du voyage, des informations qu'il aura vite oubliées. Il la questionne bel et bien, elle répond, et nous écoutons tous les trois, ne trahissant ni stupéfaction ni même un vague ennui. Chacun de nous, avec sa propre vision des choses, se passionne pour ce qui n'est pas dit. Les amants — si c'est vrai d'Elodie —, ces éléments extérieurs au couple, sont la double charge explosive qui va faire voler cette famille en éclats. Et me projeter dans les airs, vers l'enfer, vers mon treizième étage.

D'une voix douce et secourable, John Cairncross mentionne qu'il apprécie ce vin, incitation pour Claude à resservir tout le monde. Pendant qu'il s'exécute, le silence s'installe. J'imagine la corde d'un piano tendue à craquer, attendant le choc du marteau en feutre. Trudy va prendre la parole. Je le sais aux battements syncopés de son cœur, avant même le premier mot.

« Ces chouettes… Elles existent, ou bien, enfin, elles sont un symbole ?

— Oh non, dit aussitôt Elodie. Elles existent. J'écris sur le vif. Mais vous savez, le lecteur "importe" les symboles, les connotations. Je n'y peux rien. C'est la poésie qui veut ça.

— J'associe toujours les chouettes à la sagesse », lance Claude.

La poétesse marque une pause, flairant un sarcasme. Elle jauge Claude et répond posément : « Eh bien voilà. Je ne peux pas vous en empêcher.

— Elles sont cruelles, intervient Trudy.

Elodie : Comme les rouges-gorges. Comme la nature.

Trudy : Elles ne sont pas comestibles, apparemment.

Elodie : Manger une chouette qui couve est même toxique.

Trudy : Oui, on peut en mourir.

Elodie : Je ne crois pas. Juste tomber malade.

Trudy : Si elle vous plante ses griffes dans le visage, je veux dire.

Elodie : Ça n'arrive jamais. Elle est trop farouche.

Trudy : Pas quand on la provoque. »

La conversation est détendue, les intonations anodines. Propos sans importance, ou échange masqué de menaces et d'insultes ? Je manque d'expérience mondaine pour le savoir. Si je suis ivre, alors Trudy doit l'être aussi, mais rien dans son attitude ne le laisse deviner. Son aversion pour Elodie, désormais cataloguée comme rivale, peut se révéler un élixir dégrisant.

John Cairncross semble content d'abandonner son épouse et de la confier à Claude Cairncross. Cela retourne le fer dans la plaie pour ma mère, qui considère que c'est à elle d'en décider. Elle peut le priver d'Elodie. Le priver de la vie même. Et moi je peux me tromper. Mon père lui récitait des vers dans sa bibliothèque, paraissait chérir chaque seconde en sa présence, s'est laissé mettre à la porte. («Va-t'en!») Je ne peux pas me fier à mon jugement. Rien ne colle.

Mais l'heure n'est plus aux spéculations. Mon père s'est levé, nous dominant de sa haute taille, son verre à la main, à peine chancelant, prêt à faire un discours. Silence, tout le monde.

«Trudy, Claude, Elodie, je serai peut-être bref, peut-être pas. Quelle importance? Je tiens à dire ceci. Quand l'amour meurt et que la vie conjugale est un champ de ruines, les premières victimes sont l'honnêteté de la mémoire, l'impartialité et la pudeur des souvenirs. Trop importuns, trop accablants pour le présent, ils sont le spectre d'un bonheur ancien au festin de l'échec et de la désolation. Au vent contraire de l'oubli, je veux donc opposer ma petite bougie de vérité et voir jusqu'où elle projette sa lumière. Voilà presque dix ans, sur la côte dalmate, dans un modeste hôtel sans vue sur l'Adriatique, dans une chambre huit fois plus petite que cette pièce, dans un lit d'à peine plus d'un mètre de large, Trudy et moi nous sommes jetés à corps perdu dans l'amour, l'extase, la confiance mutuelle, la joie et la paix sans horizon, sans lendemain, au-delà des mots. Nous avons tourné le dos au monde pour inventer et construire le nôtre. Nous jouissions de mimer la violence, mais nous nous câlinions et nous dorlotions aussi, nous nous cherchions des surnoms, parlions notre propre langue. Nous avions dépassé toute gêne. Nous donnions, recevions et permettions tout. Nous étions héroïques. Nous croyions avoir atteint le sommet d'une montagne que personne d'autre, ni dans la vie ni dans aucun poème, n'avait jamais escaladée. Notre amour était si beau et magnifique qu'il nous apparaissait comme un principe universel. C'était une éthique, un moyen si fondamental de communiquer avec autrui que le monde l'avait curieusement ignoré. Lorsque nous étions allongés face à face sur le lit étroit, que nous nous regardions droit dans les yeux et que nous bavardions, nous révélions notre moi. Elle prenait mes mains dans les siennes, les embrassait, et pour la première fois de mon existence elles ne m'inspiraient pas de honte. Nous comprenions enfin nos familles, que nous nous décrivions en détail. Nous ne les en aimions que plus, malgré toutes les difficultés passées. Même chose avec nos meilleurs amis, les plus importants. Nous pouvions racheter tous ceux que nous connaissions. Notre amour bénéficiait au monde entier. Trudy et moi n'avions jamais parlé ni écouté avec tant d'attention. Nos ébats étaient le prolongement de nos conversations, nos conversations le prolongement de nos ébats.

« À la fin de cette semaine, quand nous sommes rentrés et avons emménagé ici, chez moi, l'amour a continué pendant des mois, puis des années. Rien ne semblait pouvoir lui faire obstacle. Aussi, avant d'aller plus loin, je lève mon verre à cet amour. Que jamais il ne soit nié, oublié, déformé ou traité comme une illusion. À notre amour ! Il a existé. Il était sincère. »

J'entends un piétinement, un acquiescement murmuré avec réticence ; ma mère déglutit bruyamment avant de faire semblant de boire à ce toast. Le « chez moi » de mon père a dû la froisser.

« Maintenant, reprend-il, baissant la voix comme s'il pénétrait dans un salon funéraire, cet amour touche à son terme. Jamais il n'a sombré dans la routine, n'est devenu un bâton de vieillesse. Il est mort rapidement, tragiquement, ainsi qu'il sied à un grand amour. Le rideau est tombé. Tout est fini, et je suis content. Trudy est contente. Tous ceux qui nous connaissent sont contents et soulagés. Nous nous faisions confiance, et maintenant plus. Nous nous aimions, et maintenant je la déteste autant qu'elle me déteste. Trudy, ma chérie, je supporte à peine ta présence. Il y a eu des moments où j'aurais pu t'étrangler. J'ai fait des rêves, de beaux rêves, où je me voyais enfoncer mes pouces dans tes carotides. Je sais que tu éprouves la même chose pour moi. Mais ce n'est pas une raison pour regretter. Réjouissons-nous plutôt. Ce ne sont que des idées noires dont nous devons nous libérer pour renaître à une nouvelle vie et à un nouvel amour. Elodie et moi avons trouvé cet amour et il nous unira jusqu'à la fin de nos jours.

— Attends », dit Elodie. Je crois qu'elle redoute l'impudeur de mon père.

Mais il refuse d'être interrompu. « Trudy et Claude, je suis heureux pour vous. Vous vous êtes rencontrés à point nommé. Personne ne le niera, vous méritez réellement d'être ensemble. »

C'est une malédiction, bien que mon père semble d'une sincérité impénétrable. Lier son sort à un homme aussi insipide, mais à la sexualité aussi vigoureuse que Claude ne va pas de soi. Son frère le sait. Mais chut ! Il poursuit.

« Il y a des dispositions à prendre. Il y aura des disputes et du stress. Mais le projet d'ensemble est simple, et c'est une bénédiction. Claude, tu as ta grande et belle maison de Primrose Hill, et toi, Trudy, tu peux t'y installer. Demain je rapporterai ici certaines de mes affaires. Dès que tu seras partie et que les décorateurs auront fait leur travail, Elodie viendra vivre avec moi. Je suggère de ne pas se revoir pendant environ un an, et de faire le point alors. Le divorce devrait se dérouler sans encombre. L'objectif à garder en mémoire, c'est de rester raisonnables et courtois, et de se féliciter d'avoir retrouvé l'amour. D'accord ? Bien. Non, ne vous levez pas. Nous trouverons seuls la sortie. Si tu es là, Trudy, je te verrai demain matin vers dix heures. Je ne m'attarderai pas — il faudra que j'aille directement à St Albans. À propos, j'ai récupéré ma clé. »

Un bruit de chaise quand Elodie se lève. « Attends, enfin… je peux dire quelque chose moi aussi ? »

Mon père est aimable mais ferme. « Absolument pas souhaitable.

— Mais…

— Viens. Il est temps d'y aller. Merci pour le vin. »

Quelques toussotements, et leurs pas s'éloignent dans la cuisine, puis dans l'escalier.

Ma mère et son amant assis en silence, nous les écoutons partir. La porte d'entrée ponctue la soirée d'un claquement définitif. Le point final. Trudy et Claude sont abasourdis. Moi je suis en effervescence. Où étais-je, dans la péroraison de mon père ? Mort. Enterré la tête la première dans un tumulus à l'intérieur du ventre de son ex-épouse détestée. Pas une seule mention, ni en aparté ni pour être déclaré hors sujet. Il faudra attendre « environ » un an pour que mon sauveur me voie. Il a rendu hommage à l'honnêteté de la mémoire, mais il m'a oublié. Courant vers sa propre renaissance, il a ignoré la mienne. Les pères et les fils. Voici ce que j'ai entendu un jour

83

et je ne suis pas près de l'oublier : « Qu'est-ce qui, dans la nature, les relie ? Un instant de rut aveugle. »

Essayons ce scénario. Il s'est installé à Shoreditch pour s'offrir une aventure avec Elodie. Il a quitté Hamilton Terrace pour que Claude puisse emménager et lui donner une bonne raison de jeter Trudy dehors. Les visites inquiètes, les poèmes sérieux, même la clé perdue étaient des feintes pour endormir la vigilance de Trudy, accroître son sentiment de sécurité avec Claude, les rapprocher.

Claude remplit les verres. Une consolation, en ces circonstances, que sa capacité à aller droit vers sa pensée la plus niaise :

« Qui l'eût cru ! »

Trudy ne dit rien pendant trente secondes. Quand elle prend la parole, c'est d'une voix pâteuse, mais avec une détermination intacte.

« Je veux qu'il meure, et dès demain. »

8

À l'extérieur de ces murs tièdes, vivants, un conte glacial glisse vers sa conclusion hideuse. Les nuages du plein été sont épais, il n'y a pas de lune, pas le moindre petit vent. Mais ma mère et mon oncle déchaînent une tempête d'hiver. Une nouvelle bouteille est débouchée, puis, trop vite, une autre. Je suis emporté loin en aval de l'ébriété, mes sens brouillent les paroles de Trudy et de Claude, mais j'entends quelle forme prendra ma ruine. Des ombres chinoises sur un écran sanglant se disputent dans un combat perdu d'avance avec leur destin. Les voix s'élèvent et retombent. Quand ils ne sont pas en train de s'accuser ou de se chamailler, ils complotent. Les mots prononcés restent en suspens dans l'air, comme la pollution dans le ciel de Pékin.

Ça va mal finir, et la maison sent elle aussi venir la ruine. En plein été, la bourrasque de février tord et brise les stalactites qui pendent des gouttières, sable la brique des pignons, arrache les ardoises — ces fameuses ardoises vierges — des toits pentus. Son souffle glacial insinue ses doigts dans le mastic fissuré des vitres sales, il remonte par les canalisations de la cuisine. Je grelotte, là-dedans. Mais c'est sans fin, les méchants seront toujours plus nombreux, jusqu'à ce qu'un dénouement malheureux semble une bénédiction. Rien ne sera oublié, rien ne sera entraîné par la chasse d'eau. Une substance fétide s'amasse dans des coudes invisibles, inaccessibles au plombier, elle stagne dans les penderies parmi les manteaux d'hiver de Trudy. Cette puanteur à couper au couteau nourrit les timides souris derrière les plinthes et les engraisse jusqu'à en faire des rats. Nous entendons leurs grignotements et leurs imprécations, mais nul ne s'en étonne. À intervalles réguliers, ma mère et moi nous retirons pour qu'elle puisse s'accroupir, pisser copieusement et gémir d'aise. Contre mon crâne je sens sa vessie rétrécir, et je suis soulagé. Retour à table, pour de nouveaux plans et de longues harangues. C'était mon oncle qui lançait des imprécations, pas les rats. Et les grignotements étaient ceux de ma mère avec ses cacahuètes. Sans cesse, elle mange pour moi.

Là où je suis, je rêve de ce à quoi j'ai droit : la sécurité, une paix insouciante, l'absence de corvées, de crimes ou de remords. Je pense à ce qui m'était dû pendant mon confinement. Deux notions contradictoires m'obsèdent. J'en ai entendu parler lors d'une conférence podcastée que ma mère écoutait tout en téléphonant. Nous étions sur le canapé de la bibliothèque de mon père, aux fenêtres grandes ouvertes sur une nouvelle demi-journée étouffante. « L'ennui n'est pas loin de la jouissance : il est la jouissance vue des rives du plaisir », disait un certain M. Barthes. Exactement la condition du fœtus moderne. Réfléchissez un peu : rien à faire sauf exister et croître, la croissance étant un processus à peine conscient. La joie de l'existence à l'état pur, l'ennui des journées indifférenciées. La jouissance qui dure est une forme d'ennui existentiel. Ce confinement ne devrait pas être une prison. Là où je suis, on me doit le privilège et le luxe de la solitude. Je parle en tant qu'innocent, mais j'imagine un orgasme éternellement prolongé — le voilà, l'ennui, au royaume du sublime.

Tel était mon patrimoine, jusqu'à ce que ma mère souhaite la mort de mon père. Maintenant je fais partie de l'intrigue et je m'inquiète pour son dénouement. Dans ce contexte, où est l'ennui, où est la jouissance ?

Mon oncle se lève de table, se dirige en titubant vers le mur pour éteindre et laisser entrer la lumière de l'aube. S'il était mon père, il aurait pu réciter une aubade. Maintenant l'unique souci est d'ordre pratique : il est l'heure d'aller se coucher. Quelle délivrance, de les savoir trop soûls pour faire l'amour ! Trudy se lève à son tour, nous tanguons ensemble. Si je pouvais me redresser une minute, j'aurais moins mal au cœur. Ce que mes journées spacieuses et les cabrioles dans mon océan me manquent !

Un pied sur la première marche, Trudy s'arrête pour mesurer l'ascension à venir. L'escalier est raide et n'en finit pas, comme s'il allait jusqu'à la lune. Je sens qu'elle prend appui sur la rampe dans mon intérêt. Je l'aime encore, j'aimerais qu'elle le sache, mais si elle tombe en arrière, je meurs. Tant bien que mal, nous montons. Tant bien que mal, Claude nous précède. Nous devrions être encordés. Accroche-toi, Mère ! L'effort est intense et personne ne parle. Après de longues minutes, beaucoup de soupirs et de lamentations, nous atteignons le palier du deuxième étage, et les quatre mètres qui restent, bien qu'au même niveau, sont tout aussi pénibles.

Trudy s'assied de son côté du lit pour enlever une sandale, s'affale en l'ayant encore à la main et s'endort. Claude la secoue pour la réveiller. Ensemble, à tâtons dans la salle de bains, ils fouillent dans les tiroirs pleins à ras bord, en quête de deux grammes de paracétamol pour chacun, seul moyen d'échapper à la gueule de bois.

« Demain sera une journée chargée », souligne Claude.

Il veut dire aujourd'hui. Mon père doit passer à dix heures, il est presque six heures. Enfin nous sommes tous au lit. Ma mère se plaint que le monde, le sien, se met à tourner quand elle ferme les yeux. J'aurais cru Claude plus stoïque — d'une autre trempe, comme il dirait. Pas vraiment. Quelques minutes plus tard, il fonce s'agenouiller au pied de la cuvette des toilettes.

« Relève la lunette ! » crie Trudy.

Un silence, suivi de plusieurs crachouillis laborieux mais bruyants. Une longue mélopée tronquée, comme celle d'un supporter de foot poignardé dans le dos au milieu d'un chant.

À sept heures ils sont endormis. Pas moi. Mes pensées tournoient autant que le monde de ma mère. Le sentiment d'être rejeté par mon père, le sort qui l'attend sans doute, ma part de responsabilité, mon propre sort, mon incapacité à prévenir ou à agir. Et mes compagnons de lit. Trop mal en point pour tenter le coup ? Ou pire, qu'ils se ratent, soient arrêtés et incarcérés. D'où le spectre de la prison qui me hante ces temps-ci. Commencer sa vie dans une cellule, la jouissance inconnue, l'ennui un privilège gagné de haute lutte. Et s'ils réussissent, la vallée de Swat m'attend. Je ne

vois ni plan ni itinéraire plausible vers un bonheur digne de
ce nom. Je voudrais ne jamais naître...

*

J'ai fait la grasse matinée. Je suis réveillé par un cri et une
gigue violente, syncopée. Ma mère sur le mur de la mort.
Mais non. Ou alors pas ce mur-là. Elle descend trop vite
l'escalier, sa main insouciante effleure à peine la rampe. Tout
pourrait se terminer ainsi : une tringle à moquette dans le
passage ou un repli de la même moquette élimée faisant
saillie, une chute tête la première, et ma mélancolie intime
noyée dans les ténèbres éternelles. Seul l'espoir me raccroche
à la vie. Le cri venait de mon oncle. Il s'égosille à nouveau.
« Je suis allé chercher le smoothie. On a vingt minutes.
Prépare le café. Je m'occupe du reste. »
Ses projets obscurs incluant Shoreditch ont été enterrés
par la hâte soudaine de ma mère. John Cairncross n'est finalement pas le pigeon qu'elle croyait. Il va la jeter dehors, et
sans tarder. Elle doit agir aujourd'hui. Pas le temps de refaire
ses tresses. Elle a accueilli la maîtresse de son mari — plaquée
avant d'avoir pu le plaquer, comme on dit dans ces émissions
de l'après-midi où les gens se confient à une animatrice. (Les
adolescents appellent pour exposer des problèmes qui laisseraient perplexes un Platon ou un Kant.) La colère de Trudy
est démesurée — immense et profonde, c'est son exutoire,
l'expression de son être intérieur. Je le sais à l'altération du
sang qui me traverse, à la granularité des globules malmenés
et comprimés, des plaquettes écaillées et fissurées. Mon cœur
se débat avec le sang colérique de ma mère.

Nous sommes sains et saufs au rez-de-chaussée, dans le bourdonnement matinal et affairé des mouches qui inspectent les ordures de l'entrée. À leurs yeux, les sacs-poubelle ouverts se dressent comme autant d'immeubles résidentiels étincelants avec jardins en terrasse. Elles y vont pour se nourrir et vomir à leur aise. Leur paresse générale et bouffie évoque une société de récréation douce, de convivialité, de tolérance mutuelle. Cette équipe somnolente d'invertébrés est en phase avec le monde, elle aime la richesse de l'existence dans toute sa putréfaction. Alors que nous-mêmes sommes une forme inférieure vivant dans la peur et la discorde. On a les jetons, on va trop vite.

La main incertaine de Trudy saisit le pilastre pour nous faire prendre un virage à angle droit. Dix pas et nous voilà en haut de l'escalier de la cuisine. Pas de rampe pour nous guider jusqu'en bas. À ce que j'ai entendu dire, elle s'est détachée du mur dans un nuage de poussière et de crin avant que je n'existe, si j'existe vraiment. Ne restent que des trous irréguliers. Les marches sont en pin massif, couvertes d'amas gras et luisants, palimpsestes d'éclaboussures oubliées, de viande et de lard piétinés, de beurre fondu ayant coulé des toasts que mon père emportait autrefois sans assiette dans la bibliothèque. Là encore elle va trop vite, et le vol plané pourrait bien avoir lieu. À peine cette pensée a-t-elle réveillé mes craintes que je sens un pied glisser vers l'arrière, je suis projeté en avant avec l'envie de sauter en marche, aussitôt retenu par une crispation paniquée des muscles au bas de son dos, et j'entends par-dessus mon épaule un bruit déchirant de ligaments qui s'étirent et testent leur ancrage dans l'os.

« Mon dos, grogne-t-elle. Mon foutu dos. »

Elle n'a pas souffert en vain, car elle retrouve l'équilibre et descend avec prudence les marches restantes. Claude, occupé devant l'évier, s'interrompt pour émettre un son compatissant, puis il poursuit sa tâche. Le temps n'attend pas, dirait-il.

Elle est près de lui. « Ma tête, murmure-t-elle.

— Et la mienne ! » Puis il lui montre : « Je crois que c'est son préféré. Banane, ananas, pomme, menthe, germe de blé.

— "Aurore tropicale" ?

— Exactement. Et voici le principe actif. De quoi abattre dix bœufs.

— Normalement le "f" ne se prononce pas. »

Il verse les deux liquides dans le mixer et le met en route.

Quand le bruit a cessé, elle dit : « Mets-le au frigo. Je fais le café. Cache ces gobelets en carton. N'y touche pas sans tes gants. »

Nous sommes près de la cafetière électrique. Elle a trouvé les filtres, ajoute plusieurs cuillerées de café moulu, puis l'eau. Tout va bien.

« Lave quelques tasses. Et pose-les sur la table, ordonne-t-elle. Prépare ce qu'il faut pour la voiture. Les gants de John sont dans la remise. Il faudra les dépoussiérer. Et il y a un sac plastique quelque part.

— D'accord, d'accord. » Levé longtemps avant elle, Claude s'irrite qu'elle prenne les choses en main. Je suis tant bien que mal leur échange.

« Ma création et les relevés de compte bancaire sont sur la table.

— Je sais.

— N'oublie pas le reçu.

« — Entendu.

— Froisse-le un peu.

— C'est fait.

— Avec tes gants. Pas les siens.

— Oui !

— Tu portais bien son chapeau, dans Judd Street ?

— Évidemment.

— Laisse-le là où il pourra le voir.

— C'est fait !!! »

Il lave les tasses crasseuses dans l'évier, comme elle le lui a demandé. Sourde à son exaspération, elle ajoute : « Il faudrait ranger cette pièce. »

Il pousse un grognement. Une entreprise désespérée. Trudy la bonne épouse veut recevoir son mari dans une cuisine en ordre.

À coup sûr rien de tout cela ne peut marcher. Elodie sait que mon père est attendu ici. Une demi-douzaine de ses amis sont sans doute au courant. Londres, du nord à l'est, pointera un doigt accusateur derrière le cadavre. Un joli cas de *folie à deux*[*1]. Ma mère, qui n'a jamais eu d'emploi, pourrait-elle se lancer dans celui de meurtrière ? Une profession difficile, non seulement dans l'organisation et l'exécution, mais dans la gestion des retombées, le début de la carrière à proprement parler. Avant même les problèmes d'éthique, ai-je envie de lui dire, prends en compte les inconvénients : l'emprisonnement ou le sentiment de culpabilité, ou les deux ; les horaires à rallonge, même le week-end et la nuit, à vie. Pas de salaire

1. Les mots et expressions en italique suivis d'un astérisque sont en français dans le texte. *(N.d.T.)*

92

ni de bonus, pas d'autre retraite que le remords. Elle commet une erreur.

Mais les amants sont seuls au monde, comme seuls les amants peuvent l'être. Leur affairement dans la cuisine les calme. Ils débarrassent la table des restes de la nuit précédente, balaient ou écartent les morceaux de nourriture tombés par terre, puis avalent une dose supplémentaire d'antalgiques avec une gorgée de café. C'est tout ce que j'ai comme petit déjeuner. Ils s'entendent pour renoncer à nettoyer autour de l'évier. Ma mère marmonne des instructions, des recommandations. Claude reste laconique. Chaque fois il l'interrompt. Peut-être a-t-il des doutes.

« On fait bonne figure, d'accord ? Comme si on avait réfléchi à ce qu'il a dit hier soir et décidé...

— Entendu. »

Après quelques minutes de silence : « Surtout ne lui offre rien trop tôt. On a besoin...

— D'accord. »

Elle insiste : « Deux verres vides pour montrer qu'on en a bu nous aussi. Et le gobelet au nom de Smoothie Heaven...

— C'est fait. Ils sont derrière toi. »

Ce dernier mot prononcé, nous sursautons quand la voix de mon père s'élève en haut de l'escalier. Évidemment : il a sa clé. Il est entré.

« Juste le temps de décharger la voiture et je vous rejoins. »

Son ton est bourru, compétent. Cet amour tombé du ciel lui a mis les pieds sur terre.

« Et s'il verrouille les portières ? » chuchote Claude.

Je suis près du cœur de ma mère, je connais ses rythmes et leurs ruptures soudaines. Au son de la voix de mon père, il accélère, accompagné d'un autre bruit, une perturbation dans les cavités, comme la vibration de maracas au loin ou le crissement de gravier dans une boîte de conserve. D'où je suis, je dirais que c'est une valvule en forme de demi-lune dont les cuspides se rabattent trop brutalement et accrochent. À moins que ma mère ne serre les dents.

Mais aux yeux du monde elle paraît sereine. Elle reste maîtresse de sa voix qui ne tremble pas, ne s'abaisse pas à des chuchotis.

« C'est un poète. Il ne ferme jamais la voiture à clé. À mon signal, tu sors avec le matériel. »

9

Cher Père,

Avant que tu ne meures, j'aimerais te dire un mot. Nous n'avons pas beaucoup de temps. Bien moins que tu ne l'imagines, donc pardonne-moi d'aller droit au but. J'ai besoin de faire appel à ta mémoire. Il y a eu un matin dans ta bibliothèque, un dimanche d'été anormalement pluvieux où l'air était pour une fois débarrassé de la poussière. Les fenêtres étaient ouvertes, on entendait la pluie crépiter sur les feuilles. Toi et ma mère, vous ressembliez presque à un couple heureux. Il y a eu un poème que tu as récité alors, trop réussi pour être un des tiens, tu seras le premier à le concéder. Court, dense, amer jusqu'à la résignation, difficile à comprendre. De ceux qui te frappent, te blessent avant que tu aies compris au juste ce qui était dit. Il s'adressait à un lecteur insouciant, indifférent, à un amour perdu, à une personne réelle, j'imagine. En quatorze vers il parlait d'attachement sans espoir, de préoccupations dérisoires, de désirs inassouvis et inavoués. Il évoquait un rival qui en imposait par son talent ou son rang social ou les deux, et le saluait avec modestie. Le temps finirait par prendre sa revanche, mais nul ne s'en soucierait ni ne s'en souviendrait, sauf ceux qui liraient ces vers par hasard.

Le destinataire de ce poème, je le vois comme le monde que je m'apprête à rencontrer. Déjà, je l'aime trop fort. J'ignore ce qu'il fera de moi, s'il prendra soin de moi, remarquera même ma présence. D'où je suis, il semble méchant, indifférent à la vie, à toutes les vies. Les informations sont brutales, irréelles, un cauchemar dont on ne peut se réveiller. J'écoute avec ma mère, captivé et triste. Des adolescentes réduites en esclavage, converties, puis violées. Des barils lancés comme des bombes sur les villes, des enfants lancés comme des bombes sur les marchés. D'Autriche, un reportage sur un camion hermétiquement fermé au bord d'une route, avec soixante et onze migrants condamnés à l'affolement, à l'asphyxie et à la décomposition. Seuls les courageux se hasarderaient à imaginer ces derniers instants. Nous vivons des temps nouveaux. À moins qu'ils ne soient très anciens. Mais ce poème me fait aussi penser à toi, à ton discours de l'autre soir, à ton refus ou à ton incapacité de répondre à mon amour. D'où je suis, toi, ma mère et le monde ne font qu'un. Une hyperbole, je le sais. Le monde est également plein de merveilles, raison pour laquelle j'en suis follement amoureux. Et pour laquelle je vous aime et vous admire, ma mère et toi. Autrement dit, j'ai peur d'être rejeté.

Alors récite-le-moi à nouveau dans ton dernier souffle, ce poème, et je te le réciterai à mon tour. Qu'il soit la dernière chose que tu entendras. Là, tu comprendras ce que je veux dire. Ou bien choisis la voie la plus clémente, la vie plutôt que la mort, accepte ton fils, prends-moi dans tes bras, reconnais que je suis à toi. En échange je te donnerai quelques conseils. Ne descends pas cet escalier. Lance un au revoir insouciant, monte dans ta voiture et pars. Ou bien, si tu dois vraiment descendre, refuse la boisson aux fruits, reste seulement le temps de faire tes adieux. Je t'expliquerai plus tard. D'ici-là je demeure ton fils dévoué…

Nous sommes assis à la table de la cuisine, silencieux et attentifs aux pas de mon père qui vient par intermittence déposer au-dessus de nous des caisses de livres au salon. Avant leur forfait, les meurtriers ont du mal à faire la conversation. Bouche sèche, pouls filiforme, tourbillon de pensées. Même Claude est sans voix. Trudy et lui boivent encore un café. Après chaque gorgée, ils reposent leur tasse sans bruit. Ils n'utilisent pas de soucoupes. Une pendule, que je n'avais pas remarquée jusque-là, égrène son tic-tac comme autant d'iambes pensifs. Dans la rue, la musique pop d'un camion de livraison se rapproche et s'éloigne avec un léger effet Doppler, le groupe jouant sans enthousiasme de sa boîte à rythmes tout en gardant la mesure. Il y a là un message pour moi, presque à ma portée. Les antalgiques agissent, mais j'y gagne en lucidité alors que l'engourdissement m'irait mieux. Claude et ma mère ont passé deux fois en revue le détail des opérations et tout est au point. Les gobelets, la potion, la « création », quelque chose de la banque, le chapeau, les gants, le reçu, le sac plastique. J'ai du mal à suivre. J'aurais dû écouter la nuit dernière. Je ne saurai pas si le plan se déroule comme prévu ou s'il tourne mal.

« Je pourrais monter l'aider, finit par dire Claude. Tu sais, l'union fait…

— D'accord, d'accord. Attends. » Ma mère se refuse à entendre la suite. Nous avons beaucoup de points communs, elle et moi.

La porte d'entrée se referme, et quelques secondes plus tard les chaussures de mon père — semelles de cuir à l'ancienne — font le même bruit dans l'escalier qu'hier soir lorsqu'il est descendu avec sa maîtresse et a scellé son destin. Il sifflote, Schoenberg plutôt que Schubert, se donnant l'air plus détendu qu'il ne l'est réellement. Donc il a le trac, malgré son grand discours. Pas facile d'expulser de la maison que vous aimez votre frère et la femme que vous haïssez mais qui porte votre enfant. Il se rapproche. J'ai à nouveau l'oreille collée à cette paroi gluante. Je m'en voudrais de rater la moindre inflexion, le moindre silence, ou la moindre parole étouffée.

Ma famille improvisée se passe de salutations.

« J'espérais voir ta valise à la porte. » Il le dit avec humour, et comme d'habitude il ignore son frère.

« Il ne fallait pas y compter, répond suavement ma mère. Assieds-toi et prends un café. »

Il s'assied. Un liquide qu'on verse, le tintement d'une cuiller.

Puis, mon père : « Une entreprise va venir débarrasser le hall d'entrée de ce merdier infect.

— Ce n'est pas un merdier. C'est l'expression de quelque chose.

— De quoi ?

— D'une protestation.

— Ah bon ?

— Contre ton manque d'égards.

— Très drôle !

— Envers moi. Et notre bébé. »

De quoi servir la noble cause du réalisme, du plausible. Un accueil mielleux risquerait de l'alerter. Quant à lui rappeler ses devoirs de père : bravo !

« Les ouvriers seront là à midi. Ceux de l'entreprise de dératisation aussi. Ils vont désinfecter les lieux.

— Non, pas si nous sommes encore là.

— À vous de voir. Ils commencent à midi.

— Ils devront attendre un mois ou deux.

— J'ai doublé la somme pour qu'ils ne s'occupent pas de vous. Et ils ont une clé.

— Ah, dit Trudy avec l'apparence d'un regret sincère. Navrée que tu aies gaspillé tant d'argent. L'argent d'un poète, en prime. »

Claude intervient, trop tôt pour elle. « J'ai préparé ce délicieux…

— Tout le monde a besoin d'un autre café, mon chéri. »

L'homme qui pénètre ma mère sous les draps obéit aussi docilement qu'un chien. La sexualité, je commence à le comprendre, est en elle-même un royaume de montagne, secret et inaccessible. Dans la vallée en contrebas ne nous parviennent que des rumeurs.

Tandis que Claude se penche sur la cafetière à l'autre extrémité de la pièce, ma mère ajoute aimablement à l'intention de son mari : « Au fait, j'ai appris que ton frère s'était montré généreux avec toi. Cinq mille livres ! Tu en as de la chance ! Tu l'as remercié ?

— Il sera remboursé, si c'est ce que tu veux dire.

— Comme du dernier prêt.

— De celui-là aussi.

— Je déplore que tout cet argent aille à une entreprise de dératisation. »

Mon père éclate d'un rire joyeux. « Trudy ! Tu me rappellerais presque pourquoi je t'ai aimée. À propos, tu es magnifique.

— Un peu négligée. Merci quand même. » Elle baisse ostensiblement la voix, comme pour exclure Claude. « Après ton départ, on a fait la fête. Toute la nuit.

— Pour célébrer votre expulsion.

— On peut dire ça. »

Nous nous penchons en avant, elle et moi, les pieds en l'air en ce qui me concerne, et j'ai l'impression qu'elle a posé la main sur celle de mon père. Il s'est rapproché du désordre attendrissant de ses tresses, de ses grands yeux verts, de sa peau d'un rose parfait, parfumée avec la même eau de toilette qu'il lui a achetée il y a longtemps, dans une boutique duty free de Dubrovnik. Elle pense vraiment à tout.

« On a pris un verre ou deux en discutant. C'est décidé. Tu as raison. Il est temps que nos chemins se séparent. La maison de Claude est agréable, et St John's Wood est lugubre, comparé à Primrose Hill. Et puis je me réjouis tellement, pour ta nouvelle amie. Melody.

— Elodie. Elle est adorable. On a eu une dispute terrible en rentrant hier soir.

— Vous aviez pourtant l'air si heureux ensemble. » Je note le soulagement dans la voix de ma mère.

« Elle a décrété que je t'aimais encore. »

Cela aussi produit son effet sur Trudy. «Mais tu l'as dit toi-même : on se déteste.

— Justement. Elle trouve que j'en fais trop.

— John ! Tu crois que je dois l'appeler ? Lui expliquer à quel point je te hais ? »

Mon père a un rire un peu gêné. «Le plus sûr chemin vers la perdition ! »

Je suis rappelé à ma mission : le devoir sacré, fantasmé d'un enfant de parents séparés est de les réunir. La perdition. Un mot de poète. La perte et la damnation. Ridicule de laisser mes espoirs remonter d'un point ou deux, comme un marché à terme après une débâcle et avant la suivante. Mes parents se livrent juste à un petit jeu, se chatouillent mutuellement. Elodie se trompe. Seule une ironie défensive lie encore les deux conjoints.

Voici Claude avec un plateau, quelque chose de forcé ou de boudeur dans sa proposition.

«Encore du café ?

— Mon Dieu non, dit mon père du ton catégorique et dédaigneux qu'il réserve à son frère.

— On a aussi un excellent...

— Une tasse pour moi, mon chéri. Bien remplie. Ton frère, ajoute-t-elle, s'est disputé avec Melody.

— Elodie, rectifie aussitôt mon père.

— Ou alors ce serait une mélodie funèbre, lance Claude, soudain réveillé.

— Nom d'un chien !

— En tout cas, déclare Trudy, revenant sur ses pas, cette maison est le domicile conjugal. Je déménagerai quand je serai prête, et ce ne sera pas cette semaine.

« — Allons. Tu sais bien que l'entreprise de dératisation, c'était une provocation. Mais tu ne peux pas nier que cet endroit est un dépotoir.

— Si tu me mets la pression, John, je peux très bien décider de rester. Et on se revoit devant le juge.

— Message reçu. Mais ne le prends pas mal si on évacue toute cette merde dans l'entrée.

— Je le prends assez mal, au contraire. » Puis, après un moment de réflexion, elle acquiesce de la tête.

J'entends Claude se saisir du sac plastique. Sa jovialité ne tromperait pas le plus bête des enfants : « Si vous voulez bien m'excuser. J'ai à faire. Pas de repos pour les méchants ! »

10

À une époque, cette sortie de Claude aurait pu me faire sourire. Mais ces derniers temps, ne me demandez pas pourquoi, je n'ai aucun goût pour la comédie, aucune envie de faire de l'exercice, même si j'en avais la place ; aucune adoration pour le feu ou la terre, pour des mots qui me révélaient naguère un monde doré d'étoiles majestueuses, la beauté de l'approche poétique, la joie infinie de la raison. Ces admirables débats et bulletins d'information radiophoniques, ces excellentes conférences podcastées qui me bouleversaient me semblent, au mieux, du vent, au pire une puanteur vaporeuse. La courageuse communauté que je vais bientôt rejoindre, cette noble congrégation humaine, ses coutumes, ses dieux et ses anges, ses idées enflammées et sa géniale effervescence ne me font plus vibrer. Un poids alourdit le voile qui enveloppe mon corps minuscule. À peine s'il y a en moi de quoi fabriquer un petit animal, et encore moins un homme. Je suis prédisposé à une stérilité mort-née, puis à la poussière.

Ces pensées sombres, extravagantes, que j'aspire à déclamer seul quelque part, reviennent m'oppresser lorsque

Claude disparaît en haut de l'escalier et que mes parents restent assis en silence. Nous entendons la porte d'entrée s'ouvrir et se refermer. Je tends en vain l'oreille pour distinguer le bruit fait par Claude en ouvrant la portière de la voiture de son frère. Trudy se penche à nouveau en avant et John lui prend la main. Une imperceptible hausse de notre tension artérielle suggère que ses doigts atteints de psoriasis serrent la paume de ma mère. Elle prononce son prénom avec une intonation descendante, reproche et attendrissement mêlés. Il ne répond pas, mais je devine qu'il hoche la tête, lèvres serrées en un sourire pincé, comme pour dire : *Eh bien… Regarde ce que nous sommes devenus.*

« Tu avais raison, concède-t-elle avec chaleur, c'est la fin. Mais on peut y arriver en douceur.

— Oui, ça vaut mieux, approuve-t-il de son agréable voix de basse. Mais, Trudy… Juste en souvenir du bon vieux temps. Je te récite un poème ? »

Sa façon enfantine de secouer la tête pour refuser m'ébranle doucement tout entier, mais je sais aussi bien qu'elle que, pour John Cairncross, en poésie « non » veut dire « oui ».

« Je t'en supplie, John, pour l'amour du ciel non. »

Déjà il prend une profonde inspiration. J'ai entendu une fois ce poème, en un temps où il était moins chargé de sens.

« Puisqu'il n'y a aucun remède, viens, embrassons-nous et séparons-nous… »

Superflue, selon moi, la délectation avec laquelle il articule certains passages. « Tu en auras fini avec moi », « la conscience claire je peux me libérer », sans « retenir un brin d'amour ancien ». À la fin, lorsque la passion est sur son lit de mort, qu'il lui reste une petite chance de renaître si seulement Trudy le souhaitait, mon père anéantit tout espoir par ses inflexions subtilement sarcastiques.

Trudy ne le souhaite pas davantage et couvre les derniers mots : « Je ne veux plus entendre un seul poème jusqu'à la fin de mes jours.

— Ça n'arrivera pas, dit gentiment mon père. Pas avec Claude. »

Dans cet échange raisonnable entre les deux parties, on ne me fait aucune place. Les soupçons d'un autre homme seraient éveillés par l'incapacité de son ex-femme à négocier le montant mensuel de la pension alimentaire due à la mère de son enfant. Une autre femme, si elle n'avait pas l'esprit occupé par autre chose, réclamerait sûrement cette information. Mais je suis assez grand pour m'occuper de moi et tenter d'être maître de mon destin. Comme le chat d'un avare, je garde en secret de quoi subsister, mon unique moyen d'action. Je m'en suis servi aux petites heures de la nuit pour infliger une insomnie et obtenir une émission de radio. Deux coups secs contre la paroi utérine, savamment espacés, en utilisant mes talons plutôt que mes orteils presque dépourvus d'os. J'y vois une pulsation solitaire du manque, du simple désir d'entendre parler de moi.

« Tiens, soupire ma mère. Il donne des coups de pied.

— Alors il vaut mieux que j'y aille, murmure mon père. Donc on dit deux semaines, pour ton déménagement ? »

Je lui fais signe, en quelque sorte, et qu'est-ce que je récolte ? Au bout du compte, il s'en va !

« Deux mois. Mais attends une minute que Claude revienne.

— Seulement s'il se dépêche. »

À quelques milliers de pieds au-dessus de nos têtes, un avion entame le glissando aérien de sa descente vers Heathrow, un son que j'ai toujours trouvé menaçant. John Cairncross envisage peut-être un dernier poème. Comme naguère avant un voyage, il pourrait nous scander « Un adieu pour interdire les larmes » de John Donne. Ces tétramètres apaisants, ce ton réconfortant de la maturité me donneraient la nostalgie des jours tristes de ses visites passées. Au lieu de quoi ses doigts tambourinent sur la table, il toussote et se résout à attendre.

« Ce matin, dit Trudy, on s'est offert des smoothies de Judd Street. Mais je ne crois pas qu'on t'en ait laissé. »

Avec ces mots les choses sérieuses commencent enfin.

Une voix éteinte, comme sortie des coulisses d'un théâtre pendant la représentation catastrophique d'une pièce exécrable, nous parvient du haut de l'escalier : « Si, j'ai mis un gobelet de côté pour lui. C'est lui qui nous a parlé de cet endroit. Tu t'en souviens ? »

Il descend en parlant. Difficile de croire que cette entrée trop bien minutée, ces répliques laborieuses, improbables, aient été répétées à l'aube par deux ivrognes.

Le gobelet en polystyrène avec son couvercle de plastique et sa paille est au réfrigérateur, dont la porte vient de s'ouvrir et de se fermer. Claude pose le gobelet devant mon père, l'accompagnant d'un « Tiens ! » essoufflé et maternel.

« Merci. Mais je ne suis pas sûr de pouvoir avaler ça. »

Première erreur. Pourquoi laisser le frère méprisable au lieu de l'épouse sensuelle apporter le smoothie ? Ils vont devoir continuer à faire la conversation, et espérons qu'il changera d'avis. « Espérons ? » Voilà ce qu'il en est, comment s'écrit l'histoire quand on est au courant du meurtre depuis le début. On ne peut s'empêcher de prendre le parti des meurtriers et de leur plan, on agite la main en signe d'adieu sur le quai lorsque leur petit bateau mal intentionné prend la mer. *Bon voyage**! Ce n'est pas facile — c'est même un exploit — de tuer quelqu'un et d'échapper à la justice. Le « crime parfait » est une forme de réussite. Or la perfection n'est pas de ce monde. À bord rien ne se passe comme prévu, quelqu'un trébuche sur une corde mal enroulée, l'embarcation dérive trop loin vers le sud-ouest. Dur labeur, et tous dans la même galère.

Claude prend place autour de la table, respire profondément, abat sa carte maîtresse. Parler de tout et de rien. Ou de ce qu'il considère comme tout et rien.

« Ces migrants, hein ? Quelle histoire ! Comme ils doivent nous envier, à Calais ! Avec leur "jungle" ! Dieu soit loué d'avoir créé la Manche. »

Mon père ne résiste pas au plaisir de citer Shakespeare. « Ah, "l'Angleterre, que ceinture la mer triomphante / Dont la côte rocheuse repousse le siège hostile[1]". »

Cette tirade le met de bonne humeur. Je crois l'entendre tirer le gobelet vers lui. Puis : « Mais moi je dirais : qu'on les invite tous. Allez ! Un restaurant afghan à St John's Wood.

— Plus une mosquée, renchérit Claude. Ou trois. Et des milliers de types qui battent leur femme ou violentent les jeunes filles.

1. SHAKESPEARE, *Richard II* (trad. Jean-Michel Déprats, « Bibliothèque de la Pléiade », Éditions Gallimard, 2008). *(N.d.T.)*

— Je t'ai parlé de la mosquée Goharshad en Iran ? Je l'ai vue un jour à l'aube. J'étais figé sur place, émerveillé. Les larmes aux yeux. Tu ne peux pas imaginer ces couleurs, Claude. Cobalt, turquoise, aubergine, safran, le vert le plus pâle, un blanc cristallin, et toutes les teintes entre les deux. »

Il lui arrive rarement d'appeler son frère par son prénom devant moi. Une étrange euphorie s'est emparée de mon père. Il frime à l'intention de ma mère, pour lui montrer combien elle va perdre au change.

À moins qu'il ne veuille se désolidariser des propos déplacés de son frère, qui cherche prudemment un compromis : « Jamais pensé à l'Iran. Mais Charm el-Cheikh, l'hôtel Plaza. Formidable. Tout le confort. Il faisait presque trop chaud pour aller à la plage.

— Je suis d'accord avec John, dit ma mère. Les Syriens, les Érythréens, les Irakiens. Même les Macédoniens. On a besoin de leur jeunesse. Chéri, tu veux bien m'apporter un verre d'eau ? »

Aussitôt, Claude est devant l'évier : « Besoin ? Je n'ai pas "besoin" d'être découpé en morceaux dans la rue. Comme à Woolwich. » Il revient vers la table avec deux verres. L'un d'eux est pour lui. Je crois voir ce qui va suivre.

« Pas mis les pieds dans le métro depuis soixante-dix-sept », précise-t-il.

Du ton qui lui sert à avoir le dernier mot, mon père reprend. « J'ai vu les calculs un jour. Si les races continuent à frayer ensemble au même rythme qu'aujourd'hui, dans cinq mille ans tous les habitants de la planète seront de la même couleur café au lait.

— Je bois à cette perspective, dit ma mère.

— Je n'ai rien contre, dit Claude. À la vôtre !

— À la fin de la notion de race », acquiesce mon père.

Mais je ne crois pas qu'il lève son gobelet. Il revient au sujet qui les occupe. « Si ça ne vous ennuie pas, je passerai vendredi avec Elodie. Elle veut prendre des mesures pour les rideaux. »

Je me représente un grenier à foin, d'où l'on jetterait un sac de cent kilos de grain sur le sol. Puis un deuxième et un troisième, tant le cœur de ma mère bat fort.

« Pas d'objection, bien sûr, répond-elle d'une voix posée. On pourrait vous garder à déjeuner.

— Merci, mais on aura une journée chargée. Maintenant il faut que j'y aille. Il y a beaucoup de circulation. »

Le raclement d'une chaise — tellement sonore dans cette pièce malgré le carrelage gras, on dirait un aboiement. John Cairncross se lève. Il reprend un ton aimable. « Trudy, c'était... »

Mais elle se lève elle aussi et réfléchit à toute vitesse. Je le sens dans ses sinus, dans le durcissement des replis de son péritoine. Elle lance une dernière fois les dés et tout repose sur son naturel. Elle interrompt son mari dans un élan de sincérité. « John, avant que tu partes, je tiens à te dire ceci. Je sais que je peux être pénible, parfois même un peu garce. Plus de la moitié des torts dans cette affaire me reviennent. Je le sais. Et je suis désolée que la maison soit un dépotoir. Mais ce dont tu as parlé hier soir... À propos de Dubrovnik.

— Ah... Dubrovnik. » Mon père s'est déjà éloigné de plusieurs pas.

« Ce que tu as dit était vrai. Tout m'est revenu en mémoire et ça m'a brisé le cœur. C'est un chef-d'œuvre, John, ce qu'on a créé ensemble. Tu as tellement eu raison d'en parler. C'était magnifique. Rien de ce qui adviendra ne pourra l'effacer. Et même s'il n'y a que de l'eau dans mon verre, je veux trinquer à toi, à nous, et te remercier de m'avoir rafraîchi la mémoire. Peu importe si un amour dure ou pas. Ce qui compte, c'est qu'il ait existé. À l'amour, donc. À notre amour. Tel qu'il a été. Et à Elodie. »

Trudy porte le verre à ses lèvres. Ses bruits de déglutition et son péristaltisme sinueux m'assourdissent brièvement. Depuis le temps que je la connais, jamais je n'ai entendu ma mère faire un discours. Ce n'est pas son genre. Mais là, c'est curieusement évocateur. De quoi ? D'une lycéenne en proie au trac, la nouvelle déléguée de classe qui impressionne par sa voix tremblante d'appréhension, par ses platitudes énoncées avec emphase, le proviseur, les enseignants et tous les élèves de l'établissement.

Un toast à l'amour, et donc à la mort, à Eros et à Thanatos. Dans la vie intellectuelle, il suffit que deux notions soient assez éloignées ou contradictoires pour qu'on les présente comme étroitement liées. Puisque la mort s'oppose à tout dans l'existence, divers couples antithétiques sont proposés. L'art et la mort. La nature et la mort. Plus inquiétant : la naissance et la mort. Et, répété avec jubilation : l'amour et la mort. Au sujet de ce dernier, et là où je me trouve, je ne vois pas deux notions qui pourraient davantage s'exclure mutuellement. Les morts n'aiment rien ni personne. Dès que je serai dans le vaste monde, je m'essaierai peut-être à la rédaction d'une monographie. La société réclame des empiristes au visage inconnu.

Quand mon père reprend la parole, sa voix semble plus proche. Il revient vers la table.

« Eh bien, dit-il avec jovialité, à la bonne heure ! »

Je jurerais qu'il a à la main ce gobelet d'amour et de mort.

À nouveau je donne des coups de talon pour contrer le sort qui l'attend.

« Oh là, bébé taupe ! s'exclame ma mère d'une voix douce, maternelle. Il se réveille.

— Tu as oublié mon frère dans ton toast », dit John Cairncross. Il est dans sa nature de poète viril de surenchérir : « À nos amours, à Claude et à Elodie.

— À nous tous, donc », lance Claude.

Un silence. Le verre de ma mère est déjà vide.

Puis mon père pousse un soupir d'aise. Plus ou moins exagéré, simple politesse de sa part. « Un peu plus écœurant que d'habitude. Mais pas mauvais du tout. »

Le gobelet en polystyrène sonne creux quand il le pose sur la table.

Quelque chose me revient avec l'éclat d'une ampoule électrique dans un dessin animé. Par un matin pluvieux, alors que Trudy se brossait les dents après le petit déjeuner, une émission sur la vie avec des animaux de compagnie en évoquait les dangers : malheur au chien qui lape le liquide vert et sucré sur le sol du garage. En quelques heures il sera mort. Exactement comme l'a dit Claude. La chimie est sans pitié, sans conscience ni regrets. La brosse à dents électrique de ma mère avait couvert le reste. Nous sommes soumis aux mêmes règles que celles qui empoisonnent la vie de nos animaux de compagnie. Nous avons nous aussi la grande chaîne du non-être autour du cou.

« Bon, je m'en vais », déclare mon père. Il ne croit pas si bien dire.

Claude et Trudy se lèvent. C'est l'heure du grand frisson propre au métier d'empoisonneur. La substance ingérée, la tâche encore inachevée. À moins de trois kilomètres se trouvent plusieurs hôpitaux, plusieurs pompes stomacales. Mais la ligne rouge de la criminalité a été franchie. Impossible d'annuler le forfait. Ma mère et mon oncle ne peuvent que rester en retrait et attendre l'antithèse, que l'antigel ait définitivement refroidi mon père.

« C'est ton chapeau ? demande Claude.

— Ah oui ! Je l'emporte. »

Est-ce la dernière fois que j'entends la voix de mon père ?

Nous nous dirigeons vers l'escalier, nous montons, le poète en tête. J'ai des poumons, mais pas d'air pour hurler une mise en garde ou pleurer de honte devant mon impuissance. Je suis encore une créature marine, pas un être humain comme les autres. Nous traversons le hall transformé en capharnaüm. La porte d'entrée s'ouvre. Mon père se tourne vers ma mère pour lui déposer un baiser sur la joue et donner à son frère une tape affectueuse sur l'épaule. Peut-être pour la première fois de son existence.

En sortant, il lance par-dessus son épaule : « Espérons que cette foutue bagnole va démarrer ! »

11

Une plante pâle et frêle, semée par deux ivrognes aux petites heures de la nuit, cherche la lumière du lointain soleil de la réussite. Voici le plan : un homme est retrouvé sans vie au volant de sa voiture. Sur le plancher au pied de la banquette arrière, presque invisible, un gobelet en polystyrène avec le logo d'un magasin de Judd Street, proche de la mairie de Camden Town. Dans ce gobelet, le reste d'une boisson à base de purée de fruits et de quelques gouttes de glycol. Près du gobelet, le reçu de la boisson, daté du jour. Cachés sous le siège du conducteur, des relevés de comptes bancaires au nom d'une petite maison d'édition, d'autres à celui de l'éditeur. Tous révèlent un découvert d'une dizaine de milliers de livres. Griffonné sur l'un d'eux, d'une écriture imitant celle du défunt, le mot : « Marre ! » (La fameuse « création » de Trudy.) À proximité des relevés, une paire de gants qu'il portait de temps à autre pour dissimuler son psoriasis. Ceux-ci recouvrent partiellement une page de journal roulée en boule, où figure la critique négative d'un récent recueil de poèmes. Sur le siège du passager, un chapeau noir.

La police de la capitale est en sous-effectif et surmenée.

Les jeunes inspecteurs, se plaignent les anciens, enquêtent devant leur écran, réticents à user leurs semelles. Alors qu'il y a des affaires plus sanglantes à traiter, pour celle-ci la conclusion s'impose d'elle-même. La substance ayant causé la mort est inhabituelle mais pas si rare, facile à se procurer, agréable au goût, mortelle à haute dose, et une ressource bien connue des auteurs de romans policiers. L'enquête laisse supposer qu'en plus des dettes, le couple s'entendait mal, l'épouse vivant maintenant avec le frère du défunt, lequel était déprimé depuis des mois. Un psoriasis sapait sa confiance en lui. Les gants qu'il portait pour dissimuler cette affection expliquent l'absence d'empreintes digitales sur le gobelet et le flacon d'antigel. Les images des caméras de surveillance le montrent au magasin Smoothie Heaven, son chapeau sur la tête. Il s'y était arrêté ce matin-là en allant vers sa demeure de St John's Wood. Apparemment il ne supportait ni l'idée de devenir père ni la faillite de sa maison d'édition, ni son échec en tant que poète, ni sa solitude à Shoreditch où il vivait dans un appartement de location. Après une dispute avec sa femme, il est reparti désespéré. Celle-ci s'en veut. Il a fallu interrompre plusieurs fois l'entretien avec elle. Le frère du défunt était présent et s'est rendu utile de son mieux.

La réalité se laisse-t-elle si facilement, si minutieusement organiser à l'avance ? Ma mère, Claude et moi attendons devant la porte d'entrée grande ouverte, tendus. Entre la conception d'un forfait et son exécution s'interposent d'affreux impondérables. À la première tentative, le moteur tourne mais ne démarre pas. Rien d'étonnant. Le véhicule appartient à un trousseur de sonnets perdu dans ses pensées. À la deuxième tentative, nouveaux toussotements asthmatiques, comme à la troisième. Le starter produit le même son qu'un vieillard trop faible pour se racler la gorge. Si John Cairncross meurt sous nos yeux, on sera tous arrêtés. Idem s'il survit dans les mêmes conditions. Il s'interrompt avant de réessayer, pour mettre toutes les chances de son côté. La quatrième tentative est encore plus inaudible que la troisième. Je me l'imagine derrière le pare-brise, haussant ostensiblement les épaules avec perplexité à notre intention, sa silhouette presque occultée par le reflet des nuages estivaux.

« Mon Dieu, dit Claude qui s'y connaît. Il va noyer le moteur. »

Les entrailles de ma mère orchestrent son désespoir croissant. Mais à la cinquième tentative, du nouveau. Avec de lents hoquets et des « pops » comiques, l'allumage se fait. Un bouton de fleur apparaît sur la plante filiforme de Trudy et Claude. Lorsque la voiture s'engage en marche arrière sur la route, ma mère est prise d'une quinte de toux, sans doute sous l'effet d'une nuée bleutée de gaz d'échappement qui vient vers nous. Nous rentrons, et la porte claque derrière nous.

Nous ne retournons pas dans la cuisine, nous montons. Rien n'est dit, mais la qualité du silence — son épaisseur crémeuse — l'indique : ce ne sont pas seulement la fatigue et la boisson qui nous entraînent vers la chambre. Misère de misère. C'est trop injuste.

Cinq minutes plus tard. Nous sommes dans la chambre et ça commence. Claude se blottit contre ma mère, déjà nu sans doute. J'entends son souffle sur la nuque de Trudy. Il la déshabille, le plus haut sommet de générosité sensuelle qu'il ait atteint à ce jour.

« Attention, dit-elle. Les boutons sont en nacre. »

Il répond par un grognement. Ses doigts malhabiles ne s'activent que pour la satisfaction de ses propres besoins. Quelque chose appartenant à l'un ou à l'autre atterrit sur le sol. Une chaussure, ou un pantalon avec un lourd ceinturon. Trudy se tortille étrangement. L'impatience. Claude donne un ordre sous la forme d'un second grognement. Je me fais tout petit. C'est horrible, si près du terme ça ne peut que mal tourner. Je le dis depuis des semaines. Je vais souffrir.

Docilement, Trudy se met à quatre pattes. Ce sera par-derrière, en levrette, mais pas par égard pour moi. Tel un crapaud en rut, il se plaque contre ses reins. Sur elle, en elle maintenant, et profondément. Si peu de ma traîtresse de mère me sépare de l'apprenti meurtrier qui en veut à mon père. Rien n'est plus pareil ce samedi midi à St John's Wood. Ce ne sont pas les ébats habituels, frénétiques et brefs, qui menacent l'intégrité d'un crâne tout neuf. Plutôt la noyade gluante d'un tétrapode rampant à travers un marécage. Des membranes visqueuses glissent l'une sur l'autre avec un couinement à la fin. Des heures à comploter ont, sans le vouloir, initié les conspirateurs à l'art de faire l'amour délibérément. Mais rien ne se passe entre eux. Mécaniquement, aveuglément, ils se mélangent au ralenti, telle une chaîne de production tournant à la moitié de sa capacité. Tout ce qu'ils veulent, c'est la décharge, jouir comme on pointe, goûter quelques secondes de répit pour s'oublier eux-mêmes. Quand cela arrive, plusieurs orgasmes de suite, ma mère en a le souffle coupé par l'horreur. De ce à quoi elle doit retourner, de ce qui lui reste peut-être à voir. Son amant émet son troisième grognement de la séance. Ils se séparent pour s'allonger sur les draps. Puis nous dormons.

Tout l'après-midi. Et c'est durant ce long laps de temps que je fais mon premier rêve, en couleur et avec une grande profondeur de champ. La ligne de démarcation, la frontière convenue entre rêverie et veille est vague. Pas de clôtures ni de coupe-feu. Seules des guérites vides marquent la limite. Je fais mes débuts dans ce nouveau pays l'esprit confus, comme il sied à un novice, avec une masse informe ou un fouillis de silhouettes vacillantes et mal éclairées, des gens et des lieux qui se dissolvent, des voix indistinctes qui chantent ou parlent dans des salles voûtées. Je suis rongé au passage par un remords sans nom, hors de portée, par la sensation de laisser derrière moi quelqu'un ou quelque chose pour avoir trahi un devoir ou un amour. Puis tout devient magnifiquement clair. Une brume froide le jour de ma désertion, trois journées de voyage à cheval, de longues files d'Anglais déshérités au visage renfrogné sur des chemins creusés d'ornières, des ormes gigantesques qui veillent sur les prairies inondées près de la Tamise et, enfin, l'excitation et le vacarme familiers de la ville. Dans les rues une odeur d'excréments humains, aussi compacte que le mur des maisons, fait place au coin d'une place étroite à des arômes de viande rôtie, de romarin, et je franchis un portail miteux pour découvrir un inconnu de mon âge dans la pénombre sous des poutres noirâtres, en train de se verser du vin d'une cruche en terre, un jeune et bel homme accoudé à une table de chêne tachée, qui me tient en haleine avec un conte de son invention, quelque chose qu'il a écrit, ou bien moi, et sur quoi il veut mon avis, ou me donner le sien, suggérer une correction, un point de détail. À moins qu'il n'attende que je lui demande de continuer. Ces identités qui se brouillent représentent un aspect de l'amour que je lui porte, et qui étouffe presque le sentiment de culpabilité dont je voudrais me défaire. Dehors le glas se met à sonner. Nous nous assemblons dans la rue pour attendre le cortège funèbre. Nous savons que quelqu'un d'important est mort. Aucune procession n'apparaît, mais le glas sonne toujours.

*

C'est ma mère qui entend le coup de sonnette. Avant que je n'aie émergé de la nouveauté de l'univers onirique, elle a mis son peignoir et nous dévalons l'escalier. Lorsque nous atteignons la dernière volée de marches, elle laisse échapper un cri de surprise. Je parie que les ordures ont été évacuées pendant notre sommeil. Nouveau coup de sonnette, prolongé, sonore, impérieux. Trudy ouvre la porte en criant : « Nom d'un chien ! Vous êtes ivre ou quoi ? Je vais aussi vite que... »

Elle chancelle. Si elle est cohérente, elle ne devrait pas s'étonner de voir ce que mes appréhensions m'ont déjà révélé : un policier, non, deux, qui se découvrent devant elle.

Une voix bienveillante, paternelle demande : « Vous êtes bien Mrs Cairncross, épouse de John Cairncross ? »

Elle acquiesce de la tête.

« Brigadier Crowley. Nous avons de très mauvaises nouvelles, j'en ai peur. On peut entrer ?

— Oh mon Dieu ! » Ma mère retrouve sa présence d'esprit.

Ils nous suivent au salon, qui sert rarement et est presque propre. Si l'entrée n'avait pas été débarrassée des ordures, je crois que ma mère aurait aussitôt fait partie des suspects. Le travail de la police repose sur des intuitions. Quelques relents flottent sans doute, faciles à confondre avec une odeur de cuisine exotique.

Une deuxième voix, plus jeune, dit avec une sollicitude fraternelle : « Nous préférerions que vous vous asseyiez. »

Le policier lui apprend la nouvelle. La voiture de Mr Cairncross a été repérée sur le bas-côté de l'autoroute M1 en direction du nord, à une trentaine de kilomètres de Londres. Sa portière était ouverte et il gisait à proximité, à plat ventre sur un talus engazonné. Une ambulance est arrivée, on a tenté de le ranimer durant le transport à l'hôpital, mais il est mort en route.

Comme une bulle d'air en eaux profondes, un sanglot monte du corps de ma mère et du mien pour éclater au visage des policiers attentifs.

« Oh mon Dieu ! s'écrie-t-elle. On a eu une dispute épouvantable ce matin. » Elle se voûte. Je sens qu'elle porte les mains à son visage et se met à trembler.

« Il faut que je vous dise », reprend le même policier. Il s'interrompt avec tact, conscient du respect deux fois dû à une femme endeuillée et presque à terme. « On a tenté de vous contacter cet après-midi. Une amie de votre mari a identifié le corps. À première vue, j'en ai peur, il s'agirait d'un suicide. »

Quand ma mère se redresse et pousse un hurlement, je suis submergé par mon amour pour elle, pour tout ce qui est perdu : Dubrovnik, la poésie, le quotidien. Elle a aimé mon père autant qu'il l'a aimée. Le souvenir de cette réalité et l'oubli du reste donnent du souffle à sa tirade.

« J'aurais dû… J'aurais dû le garder avec moi. Oh mon Dieu, tout est ma faute. »

Quelle intelligence de se cacher bien en vue, derrière la vérité !

« On dit souvent ça, répond le brigadier. Mais il ne faut pas, je vous le déconseille. On a tort de s'accuser. »

Une profonde inspiration et un soupir. Elle semble sur le point de parler, se ravise, soupire à nouveau, se ressaisit. « Il vaut mieux que je vous explique. Les choses n'allaient pas bien entre nous. Il voyait quelqu'un, avait déménagé. De mon côté, j'ai… Son frère est venu vivre avec moi. John l'a mal pris. Voilà pourquoi je dis… »

J'entends comme un bruit de velcro, celui d'une page de calepin que l'on rabat, le crissement d'un crayon. Elle leur raconte d'une voix sourde tout ce qu'elle a préparé, revenant à la fin sur son sentiment de culpabilité. Jamais elle n'aurait dû le laisser reprendre le volant dans cet état.

Le plus jeune des policiers intervient avec déférence : « Mrs Cairncross. Vous ne pouviez pas prévoir. »

Alors elle change son fusil d'épaule, semble presque en colère. « Je me demande si je réalise vraiment. Je ne suis même pas sûre de vous croire.

— C'est compréhensible », déclare le policier au ton paternel. Avec un toussotement poli, son collègue et lui se lèvent, prêts à partir. « Il y a quelqu'un que vous pouvez appeler ? Quelqu'un qui pourrait rester avec vous ? »

Ma mère réfléchit. Elle est à nouveau penchée en avant,

la tête dans les mains. Elle parle entre ses doigts, d'une voix blanche. « Mon beau-frère est là. Il fait un somme à l'étage. »

Les représentants de la loi échangent peut-être un clin d'œil égrillard. Toute preuve de leur scepticisme m'aiderait.

« Au moment opportun, nous aimerions également nous entretenir avec lui, dit le plus jeune.

— Cette nouvelle va le tuer.

— J'imagine que vous avez envie d'être seuls. »

La revoilà, la mince bouée de sauvetage du soupçon, venue conforter mon lâche espoir que la force publique — le Léviathan, pas moi — vengera mon père.

Moi aussi j'ai besoin d'être seul, hors de portée de toute voix. J'ai été trop absorbé, trop impressionné par les talents de Trudy pour sonder la profondeur de mon propre chagrin. Et pour me demander par quel mystère mon amour pour ma mère enfle au même rythme que ma haine. Elle a fait d'elle mon unique parent. Je ne survivrai pas sans elle, sans ce regard vert enveloppant auquel sourire, sans sa voix affectueuse pour me chuchoter des mots doux à l'oreille, sans ses mains fraîches pour laver mes parties génitales.

Les policiers s'en vont. Elle remonte l'escalier d'un pas lourd. Sans lâcher la rampe. Deux marches, une pause, deux marches, une pause. Elle produit un petit son chantonnant sur une note descendante, un gémissement de pitié ou de tristesse soufflé par les narines. Nnng... nnng. Je la connais. Quelque chose se prépare, le prélude à un règlement de comptes. Elle a élaboré un plan, un pur artifice, un conte de fées maléfique. Maintenant son scénario fantasmé lui échappe, il traverse la frontière comme moi cet après-midi, mais en sens inverse, devant les mêmes guérites vides, pour se retourner contre elle et se liguer avec la réalité sociale, le quotidien médiocre du monde du travail, des contacts humains, des rendez-vous, des obligations, des caméras de surveillance, des ordinateurs à la mémoire inhumaine. Bref, avec les conséquences. Le conte se mord la queue.

Sonnée par l'alcool et le manque de sommeil, me hissant de marche en marche, elle continue sa progression vers la chambre. *Jamais ça n'aurait dû réussir*, se répète-t-elle. *Ce n'était que de la méchanceté ridicule de ma part. Je suis seulement coupable de m'être trompée.*

L'étape suivante approche, mais elle refuse encore de franchir le pas.

12

Nous marchons vers Claude assoupi : une bosse, une masse arrondie de sons étouffés par la literie. À l'expiration un long grognement constipé, orné sur la fin de parasites sibilants. Puis un silence prolongé qui, si on aimait l'homme, pourrait inquiéter. A-t-il rendu son dernier souffle ? Si on ne l'aime pas, on a l'espoir que oui. Finalement, une inspiration goulue mais plus brève, entrecoupée d'un grésillement de mucosités desséchées et couronnée par le ronronnement triomphal du voile du palais. L'augmentation du volume annonce que le réveil est proche. Trudy l'appelle par son prénom. Je sens qu'elle tend la main vers lui pendant qu'il plonge entre les parasites sifflants. Elle est impatiente de l'informer de leur succès, et le contact avec l'épaule de Claude est brusque. Dans un toussotement il reprend vie, comme la voiture de son frère, et met quelques secondes à trouver les mots pour poser sa question.

« Quoi, bordel ?

— Il est mort.

— Qui ça ?

— Bon sang ! Réveille-toi. »

Tiré d'une phase de sommeil profond, il est obligé de s'asseoir au bord du lit, à en juger par la complainte du matelas, et d'attendre que ses circuits neuronaux lui restituent l'histoire de sa vie. Ma jeunesse m'empêche de tenir ce câblage pour acquis. Donc, où en était-il ? Ah, oui, il tentait d'assassiner son frère. Vraiment, mort ? En fin de compte, Claude revient à lui.

« Çà par exemple ! »

Là, il a envie de se lever. Il est dix-huit heures, fait-il observer. Ragaillardi, il se met debout, s'étire sportivement dans un craquement d'os et de cartilages, puis va et vient entre la chambre et la salle de bains en sifflotant joyeusement, sans lésiner sur le vibrato. Grâce à la musique légère que j'ai écoutée, je reconnais celle de la bande originale d'*Exodus*. Grandiose, d'un romantisme corrompu à mon oreille déjà formée, sa poésie orchestrale me sauve de celle de Claude. Il est heureux. Trudy, elle, reste assise en silence sur le lit. Il y a de l'orage dans l'air. Enfin, d'une voix monocorde elle lui raconte la visite, la gentillesse des policiers, la découverte du cadavre, les premières hypothèses sur la cause du décès. À l'annonce de chaque mauvaise nouvelle, Claude se réjouit : « Formidable ! » Il se penche avec un gémissement pour nouer ses lacets.

« Qu'as-tu fait du chapeau ? » demande ma mère.

Elle parle du feutre à large bord de mon père.

« Tu n'as donc pas vu ? Je le lui ai donné.

— Qu'en a-t-il fait ?

— Il l'avait à la main en partant. Ne t'inquiète pas. Tu t'angoisses trop. »

Elle soupire, médite quelques instants. « Les policiers étaient si aimables.

— La veuve éplorée et tout ça.

— Je ne leur fais pas confiance.

— Garde juste ton calme.

— Ils vont revenir.

— Garde... ton calme. »

Il répète ces mots en articulant et en marquant une pause de mauvais augure. Ou agacée.

Il est à nouveau dans la salle de bains, se brosse les cheveux, mais ne sifflote plus. L'atmosphère s'alourdit.

« Ils veulent t'interroger, reprend Trudy.

— Évidemment. Le frère de la victime.

— Je leur ai dit, pour nous. »

Il reste un instant silencieux. « Un peu débile. »

Trudy s'éclaircit la voix. Elle a la bouche sèche. « Non, pas du tout.

— À eux d'enquêter. Sinon ils croiront que tu caches quelque chose, que tu essaies de conserver une longueur d'avance.

— Je leur ai dit que John était déprimé à cause de nous. Raison supplémentaire pour qu'il...

— D'accord, d'accord. Pas mal. Peut-être même vrai. Mais. » Il ne va pas plus loin, s'interrogeant sur ce qu'il est bon qu'elle sache.

Que John Cairncross aurait pu se suicider par amour pour elle, si elle ne l'avait pas tué avant — il y a du pathos et du remords à la fois dans cette idée récurrente. Je pense que Trudy n'aime pas le ton désinvolte, voire condescendant, de Claude. Simple hypothèse. Si proche que l'on soit des autres, on ne peut jamais se mettre à leur place, même lorsqu'on est en eux. Je crois qu'elle se sent blessée. Mais elle ne dit encore rien. Nous savons tous deux que cela viendra assez vite.

Toujours la même question : jusqu'où va la bêtise de Claude ? Dans le miroir de la salle de bains, il suit les réflexions de ma mère. Il sait comment contrer l'attendrissement pour John Cairncross. « Ils vont vouloir interroger cette poétesse », lui crie-t-il.

La mention de sa rivale met du baume au cœur de ma mère. Chaque cellule de son corps concède que son mari méritait la mort. Elle hait Elodie plus qu'elle n'aime John. Elodie va souffrir. Une sensation de bien-être se répand dans mes veines et je deviens euphorique, propulsé tel un surfeur par une vague parfaite, une déferlante de pardon et d'amour. Un rouleau imposant, lisse et tubulaire, capable de m'emporter là où je pourrais commencer à penser à Claude avec tendresse. Mais je résiste. Tellement humiliant, de devoir accepter les moindres sautes d'humeur de ma mère et d'être davantage complice de son crime. Mais difficile de prendre mes distances alors que j'ai besoin d'elle. Et dans ce tourbillon d'émotions, le besoin se mue en amour comme le lait en beurre.

D'une voix douce, songeuse, elle répond : « Oh oui, ils vont devoir interroger Elodie. » Puis elle ajoute : « Tu sais que je t'aime, Claude. »

Il ne relève pas. Il l'a trop souvent entendu. Au lieu de quoi il déclare : « J'aimerais bien être une petite souris, comme on dit. »

Oh, la petite souris... Quand apprendra-t-il à parler sans

126

me torturer ? Les paroles ne sont qu'un aspect de la pensée, et il doit être aussi bête qu'il en a l'air.

Émergeant de l'écho de la salle de bains avec un nouveau sujet, il lance : « Je nous ai peut-être trouvé un acheteur. Rien de sûr. Je t'en parlerai plus tard. Ces policiers ont-ils laissé leur carte ? J'aimerais voir leur nom. »

Elle ne s'en souvient pas et moi non plus. Son humeur change encore. J'imagine ses yeux fixés sur Claude lorsqu'elle dit soudain : « Il est réellement mort. »

C'est effectivement une réalité stupéfiante, à peine croyable, de première importance, comme la déclaration d'une guerre mondiale, le Premier ministre s'adressant à la nation, les familles rassemblées et les lumières soudain éteintes pour des raisons que les autorités ne révèlent pas.

Claude est debout près d'elle. La main sur la cuisse de Trudy, il l'attire à lui. Ils s'embrassent longuement sur la bouche, langues et souffles mêlés.

« On ne peut plus mort », murmure-t-il. Il bande contre mon dos. Puis, tout bas : « On l'a fait. À deux. Ensemble on est géniaux.

— Oui », dit-elle entre deux baisers. J'entends mal à cause du bruissement de ses vêtements. Son enthousiasme n'égale sans doute pas celui de Claude.

« Je t'aime, Trudy.

— Et moi aussi. »

Ce « et » manque de spontanéité. Elle a fait un pas en avant, il en a fait un en arrière, et maintenant c'est l'inverse. Leur façon à eux de danser.

« Caresse-moi. » Pas vraiment un ordre, car la voix suppliante de Claude est à peine audible. Ma mère ouvre une fermeture Éclair. Crime et sexualité, sexualité et culpabilité. Encore des dualismes. Le mouvement sinueux de ses doigts procure du plaisir. Mais pas assez. Claude lui appuie sur les épaules, elle s'agenouille, s'incline pour le « prendre » dans sa bouche, comme je les ai entendus le dire. Je ne m'imagine pas avoir envie de ce genre de chose. En revanche, c'est un fardeau de moins sur mes propres épaules qu'il veuille bien satisfaire son désir à dix ou vingt centimètres de moi. Je m'inquiète à l'idée que la substance avalée par ma mère arrive jusqu'à moi en tant que nutriment et me rende un peu comme Claude. Pourquoi les cannibales évitaient-ils de manger des demeurés, sinon ?

C'est vite expédié, à peine émet-il un son. Il recule d'un pas et ferme sa braguette. Ma mère déglutit deux fois. Il ne lui offre rien en retour et je doute qu'elle en ait envie. Elle s'écarte, traverse la pièce pour aller à la fenêtre et reste là, tournant le dos au lit. Sans doute à contempler les tours voisines. Le mauvais rêve où mon avenir se trouve là-haut n'est plus très loin de se réaliser. Elle répète calmement, plutôt pour elle-même, car Claude est retourné dans la salle de bains : « Il est mort… mort. » Elle ne semble pas convaincue. Et après quelques secondes, dans un murmure : « Oh mon Dieu. » Elle a les jambes qui tremblent. Elle est au bord des larmes, mais non, l'heure est trop grave pour se mettre à pleurer. Elle n'a pas encore saisi toute la portée de la nouvelle. Ces réalités jumelles sont énormes, et elle se tient trop près pour voir la double horreur en entier : la mort de mon père, et le rôle qu'elle a joué.

Je les hais, elle et ses remords. Comment a-t-elle pu quitter John pour Claude, la poésie pour ce cliché ambulant ? Elle a choisi cette méchante porcherie pour se rouler dans la fange avec son amant stupide, se vautrer dans la merde et l'extase, manigancer le vol d'une maison, infliger des souffrances monstrueuses et une mort humiliante à un homme bienveillant. Et maintenant elle tremble et soupire au souvenir de ses actes, comme si la meurtrière était quelqu'un d'autre — une sœur malade, échappée de l'asile avec du poison dans le cerveau et incontrôlable, une horrible sœur fumant cigarette sur cigarette et aux pulsions sinistres, la honte de la famille depuis longtemps, à propos de laquelle on soupirerait « Mon Dieu » en chuchotant avec déférence le nom de mon père. Sans transition, elle passe dans la même journée, sans rougir, du massacre à l'apitoiement sur soi.

Claude surgit derrière elle. Ses mains à nouveau sur les épaules de Trudy sont celles d'un homme récemment libéré par l'orgasme, un homme soucieux de détails pratiques et de spéculations prosaïques, incompatibles avec une érection qui lui embrumerait l'esprit.

« Tu sais quoi ? Je lisais quelque chose l'autre jour. Et je viens juste de réaliser. Voilà ce qu'on aurait dû utiliser. La diphénhydramine. Une sorte d'antihistaminique. Il paraît que les Russes en ont administré à l'espion qu'ils ont enfermé dans un sac de sport. Ils lui en ont versé dans l'oreille. Et ont allumé les radiateurs à fond avant de partir, si bien que le produit s'est dissous dans les tissus de l'homme sans laisser de trace. Ils ont mis le sac dans la baignoire : pas question qu'un liquide suspect s'écoule dans l'appartement des voisins d'en dessous…

— Ça suffit. » Elle ne le dit pas sèchement. Plutôt avec résignation.

« Bien raison. Trop c'est trop ! De toute façon, on touche au but. » D'une voix de crooner, il entonne : « *They said you're screwed, your act's too crude, but we came through.* » Ils ont dit qu'on était foutus, que le plan allait foirer, mais on s'en est tirés. Le parquet de la chambre ondule sous les pieds de ma mère. Claude esquisse un pas de danse.

Elle ne se retourne pas, reste immobile à la fenêtre. Elle le hait autant que je viens de la haïr. Maintenant il est près d'elle, partage la vue, cherche sa main.

« Un point essentiel, déclare-t-il l'air important. Ils vont nous interroger séparément. Il faut accorder nos violons. Donc. Il est passé ce matin. Pour prendre un café. Très déprimé.

— J'ai dit qu'on s'était disputés, lui et moi.

— D'accord. Quand ça ?

— Juste avant son départ.

— À quel sujet ?

— Il voulait que je déménage.

— Bien. Donc. Il est passé ce matin. Pour prendre un café. Très déprimé et... »

Elle pousse un soupir, comme je l'aurais fait. « Écoute. Raconte tout tel que ça s'est passé, moins le smoothie, plus la dispute. Pas besoin de répétition générale.

— D'accord. Ce soir... Ce soir je m'occupe des gobelets, et du reste. Chez toi, chez moi, chez lui. Autre chose. Il portait tout le temps ses gants.

— Je sais.

— Et quand tu nettoieras la cuisine, pas une molécule de smoothie pour...

— Je sais !!! »

Il s'éloigne pour faire les cent pas dans la pièce. Il sent la réussite à sa portée, il ne tient pas en place, il est agité, surexcité. Que Trudy ne le soit pas accroît son impatience. Il y a des choses à faire et, à défaut, des détails à régler. Il veut être là. Mais où ? Il fredonne quelque chose de nouveau. « *Baby, baby I love you...* » Je ne suis pas rassuré. Il revient près de nous, ma mère est figée devant la fenêtre, mais il ne perçoit pas le danger.

« À propos de la vente, dit-il, interrompant sa chanson. En mon for intérieur, j'ai toujours pensé qu'il faudrait peut-être accepter un peu moins que le prix du marché, au cas où on devrait rapidement...

— Claude ! »

L'intonation est descendante. Un avertissement.

Mais il revient à la charge. Je ne l'ai jamais connu plus heureux ni plus antipathique. « Cet acheteur est un entrepreneur de maçonnerie, un promoteur. Ne veut même pas visiter. Seule la superficie l'intéresse. Pour des appartements, vois-tu. Et en liquide, ce qui... »

Elle se retourne. « Tu ne te rends donc pas compte ?

— De quoi ?

— Es-tu vraiment d'une bêtise aussi incroyable ? »

Toute la question est là. Mais l'humeur de Claude a changé elle aussi. Il peut se faire menaçant.

« Je t'écoute.

— Cela t'aura échappé.

— Visiblement.

— Aujourd'hui, il y a quelques heures.

— Eh bien ?

— J'ai perdu mon mari...

— Non !

— L'homme que j'ai aimé et qui m'a aimée, qui a changé ma vie, lui a donné un sens... » Sa gorge qui se serre l'empêche de continuer.

Mais Claude est lancé. « Ma petite souris chérie, c'est terrible. Perdu, dis-tu. Où as-tu bien pu le mettre ? Où l'as-tu vu pour la dernière fois ? Tu as dû le poser quelque part.

— Arrête !

— Perdu ! Laisse-moi réfléchir. Je sais ! Ça me revient. Tu l'as laissé sur la M1, au bord de la route, gisant dans l'herbe avec le bide plein de poison. Comment l'avoir oublié ! »

Il aurait sans doute continué, mais Trudy détend le bras et frappe Claude au visage. Pas une gifle de femme, un vrai coup de poing qui me fait relever la tête.

« Tu sues la méchanceté, dit-elle avec un calme surprenant. Parce que tu as toujours été jaloux.

— Tiens donc... » Claude a juste l'élocution un peu laborieuse. « La vérité toute nue.

— Tu détestais ton frère parce que tu n'as jamais pu égaler l'homme qu'il était.

— Contrairement à toi qui l'as aimé jusqu'au bout. » Claude feint l'admiration. « Quelle est déjà cette brillante phrase que quelqu'un a prononcée devant moi — c'était hier soir ou avant-hier soir ? "Je veux qu'il meure, et dès demain." Pas l'épouse aimante de mon frère, l'homme qui a changé sa vie.

— Tu m'avais fait boire. C'est à peu près la seule chose que tu saches faire.

— Et qui a porté un toast à l'amour le lendemain matin, pour inciter l'homme ayant changé sa vie à brandir un gobe-

132

let empoisonné ? Sûrement pas l'épouse aimante de mon frère. Oh non, pas ma souris chérie à moi ! »

Je comprends ma mère, je la connais par cœur. Elle affronte la réalité comme elle la voit. Ce meurtre, jusque-là un plan exécuté étape par étape, ressemble maintenant dans sa mémoire à un objet indéboulonnable, accusateur, à une froide statue de pierre dans la clairière d'un bois. Minuit mordant en plein hiver, lune décroissante, et Trudy s'enfuit en courant sur un sentier forestier couvert de gelée blanche. Elle se retourne pour jeter un coup d'œil à cette silhouette lointaine, en partie occultée par des branches nues et des nappes de brume, et découvre que le meurtre qui occupe ses pensées n'est pas du tout un meurtre. C'est une erreur. Ça l'a toujours été. Elle s'en doutait depuis le début. Plus elle s'éloigne, plus tout devient clair. Elle s'est seulement trompée, sans intention de faire le mal, et elle n'est pas une meurtrière. Ce meurtre a dû être commis ailleurs dans les bois, par quelqu'un d'autre. Impossible de réfuter les faits qui prouvent la culpabilité fondamentale de Claude. Ses sarcasmes ne le protègent pas. Ils le condamnent.

Et pourtant. Et pourtant. Comme elle a envie de lui ! Dès qu'il l'appelle sa souris, un friselis de désir, une contraction froide se réveille dans son périnée, un crochet glacial qui la tire tout au bord d'un précipice et lui rappelle les abîmes dans lesquels la jouissance l'a précipitée, les murs de la mort auxquels elle a trop souvent survécu. Sa souris ! Quelle humiliation ! Au creux de sa main. Apprivoisée. Impuissante. Apeurée. Méprisable. Jetable. Oh, être sa souris ! Tout en sachant que c'est de la folie. Si difficile de résister. Peut-elle lutter ?

Est-elle une femme ou une souris ?

13

Un silence illisible suit les moqueries de Claude. Il regrette peut-être ses sarcasmes ou rumine le fait d'avoir été détourné des hauteurs venteuses de l'euphorie. Trudy lui en veut peut-être aussi, ou bien elle a envie de redevenir sa souris. Je soupèse ces éventualités tandis qu'il s'éloigne d'elle. Il s'assied au pied du lit défait, pianote sur son téléphone portable. Elle reste à la fenêtre, dos tourné à la pièce, face à sa portion de Londres, à la circulation moins dense du soir, aux chants d'oiseaux çà et là, aux nuages d'été en losange et au chaos des toits.

Quand elle reprend enfin la parole, c'est d'un ton sourd et maussade. « Je ne vendrai pas cette maison juste pour t'enrichir. »

La réponse de Claude ne se fait pas attendre. Toujours cette même voix pleine de dérision. « Bien sûr que non. Nous serons riches, ensemble. À moins que tu ne nous préfères pauvres, chacun dans sa cellule. »

La menace est joliment formulée. Peut-elle croire qu'il les ferait tomber tous les deux ? L'altruisme à l'envers. Se couper le nez pour défigurer autrui. Comment doit-elle réagir ? J'ai

le temps de réfléchir, car elle tarde à répondre. Un peu choquée par ce chantage implicite, sans doute. Logiquement elle
devrait suggérer la même chose. En théorie, ils ont autant de
pouvoir l'un sur l'autre. Quitte cette maison. Ne reviens
jamais. Sinon je nous dénonce tous deux à la police. Or
même moi je sais que l'amour n'obéit à aucune logique, et
que ses pouvoirs ne sont pas également répartis. Les amants
arrivent à leur premier baiser avec autant de cicatrices que de
désirs. Ils ne cherchent pas toujours à prendre l'avantage.
Certains sont en quête d'un refuge, d'autres réclament uniquement l'hyperréalité de l'extase, prêts pour l'obtenir à
mentir de manière éhontée ou à faire des sacrifices irrationnels. Mais ils se demandent rarement ce dont ils ont besoin
ou ce qu'ils veulent. La mémoire est pauvre en souvenirs des
échecs passés. L'enfance transparaît sous la peau de l'adulte,
utilement ou pas. Tout comme les lois de l'hérédité qui
régissent une personnalité. Les amants ignorent que le libre
arbitre n'existe pas. Je n'ai pas entendu assez de dramatiques
à la radio pour en savoir plus, bien que les chansons populaires m'aient appris qu'ils n'éprouvent plus en décembre le
même amour qu'en mai, qu'avoir un utérus peut être incompréhensible pour qui n'en a pas et que l'inverse est également
vrai.

Trudy se retourne pour contempler la pièce. Sa petite voix
lointaine me glace. « J'ai peur. »

Elle se rend déjà compte que leur plan tourne mal, malgré
des signes précoces de réussite. Elle grelotte. Faire valoir son
innocence n'est pas un projet viable, finalement. La perspective d'une scène avec Claude lui a montré combien son
indépendance risquait d'être solitaire. Le goût de celui-ci

pour le sarcasme est nouveau pour elle, il l'effraie, la déso-
riente. Et elle a envie de lui, même si sa voix, ses caresses et
ses baisers sont corrompus par leur forfait. La mort de mon
père ne veut pas rester enfermée, elle s'est libérée du marbre
de la morgue ou du tiroir en inox et se répand dans l'air du
soir, traverse le périphérique North Circular, survole ces
mêmes toits du nord de Londres. Elle est dans la pièce à
présent, dans les cheveux de ma mère, sur ses mains et sur le
visage de Claude : un masque éclairé par le portable dans sa
main et qui regarde fixement l'écran.

« Écoute ça, dit-il du même ton qu'au petit déjeuner le
dimanche. Article d'un quotidien local. Daté de demain.
Corps d'un homme aperçu sur le bas-côté de la M1 entre
deux échangeurs, etc., etc. Mille deux cents appels d'auto-
mobilistes aux services d'urgence, etc. Confirmation par la
porte-parole de la police que l'inconnu a été déclaré mort à
son arrivée à l'hôpital, etc. Toujours pas identifié… Et voilà
le principal : "À ce stade, la police ne retient pas la thèse d'un
décès d'origine criminelle."

— À ce stade… », murmure Trudy. Puis sa voix se raffer-
mit : « Mais tu ne comprends pas ce que j'essaie de…

— Quoi ?

— Il est mort. Mort, tu entends ? C'est tellement…
Et… » Elle fond en larmes. « Et… c'est douloureux. »

Claude rationalise. « Si je comprends bien, tu voulais sa
mort, et maintenant…

— Oh, John ! s'écrie-t-elle.

— Donc on va prendre notre courage à deux mains. Et
continuer à…

— On a... fait quelque chose de... d'horrible, dit-elle, sans voir qu'elle rompt avec l'innocence.

— Des gens ordinaires n'auraient pas les tripes pour faire ce qu'on a fait. Tiens, encore un article. Du *Luton Herald & Post*. "Hier matin..."

— Arrête! Par pitié!

— Bon, d'accord. De toute façon c'est la même chose. » Maintenant elle est indignée. « Ils écrivent "déclaré mort" et pour eux ça ne représente rien. Juste des mots. Des caractères imprimés. Ils n'ont pas la moindre idée de leur portée.

— Mais ils ont raison. Il se trouve que je le sais. Dans le monde, cent cinq personnes meurent chaque minute. Pas loin de deux par seconde. Rien que pour te donner une idée. »

Deux secondes de silence, le temps qu'elle saisisse. Puis elle se met à rire, un rire incongru, sans joie, qui se transforme en sanglots entre lesquels elle parvient enfin à placer : « Je te hais. »

Il est revenu vers elle, a posé la main sur son bras, lui murmure à l'oreille : « De la haine ? Ne me fais pas bander à nouveau. »

C'est pourtant le cas. Entre les baisers de Claude et ses larmes à elle, elle proteste. « Je t'en supplie. Non. Claude ! »

Elle ne se détourne pas, ne le repousse pas. Il a les doigts sous mon crâne, les déplace lentement.

« Oh non, souffle-t-elle, se rapprochant de lui. Oh non. »

Chagrin et sexualité ? Je ne peux que théoriser. Moins de défenses, plus grande souplesse des tissus, la résilience remplacée par une confiance enfantine et l'abandon qui va avec les larmes ? J'espère ne jamais le découvrir.

Il l'a entraînée vers le lit, lui a enlevé ses sandales, sa robe d'été en coton, et l'a encore appelée sa souris, mais une seule fois. Il la met sur le dos. Où commence le consentement ? Une femme éplorée l'accorde-t-elle quand elle soulève son postérieur pour qu'on lui retire sa culotte ? Je dirais que non. Elle a roulé sur le côté — seule initiative qu'elle prend. Dans l'intervalle j'élabore mon propre plan, en désespoir de cause. Mon dernier recours.

Il est à genoux près d'elle, sans doute nu. Dans un moment pareil, qu'est-ce qui serait le pire ? Il donne aussitôt la réponse : du point de vue médical et à ce stade de la grossesse, la position du missionnaire. Lui intimant l'ordre entre ses dents — quel séducteur —, il la remet sur le dos, lui écarte les jambes d'un revers de main indifférent et s'apprête, si j'en crois le matelas, à peser de tout son poids sur moi.

Mon plan ? Claude commence à forer dans ma direction et je dois faire vite. Nous tanguons et grinçons sous la pression. Un son électronique strident me vrille les oreilles, mes yeux exorbités me piquent. J'ai besoin de mes bras, de mes mains, mais il y a si peu de place. En bref : je vais me suicider. La mort d'un enfant à naître, un homicide de fait, causé par la hardiesse des assauts de mon oncle contre une femme enceinte presque à terme. Arrestation, procès, condamnation, emprisonnement. La mort de mon père à demi vengée. À demi seulement, car on ne pend plus les meurtriers dans la clémente Angleterre. Je vais donner à Claude une bonne leçon d'altruisme négatif. Pour mettre fin à mes jours, je me servirai du cordon ombilical, trois fois enroulé autour de mon cou. Je distingue au loin les soupirs de ma mère. La fiction du suicide de mon père inspirera ma propre tentative. La vie imitant l'art. Être mort-né — adjectif paisible, débarrassé de toute tragédie —, cela a un certain charme. Déjà, les premiers coups sourds contre mon crâne. Claude prend de la vitesse, il galope à présent, le souffle rauque. Mon univers vacille, mais mon nœud coulant est en place, mes deux mains s'agrippent au cordon, je tire fort, le dos courbé, avec la dévotion d'un sonneur de cloches. Comme c'est facile. L'étreinte visqueuse se resserre autour de la carotide, artère vitale, bien-aimée des égorgeurs. Je peux y arriver. Plus fort! Une sensation de vertige, les sons deviennent goût, le toucher devient son. La nuit m'enveloppe, plus noire que je ne l'ai jamais vue, et ma mère murmure ses adieux.

Mais tuer le cerveau, bien sûr, c'est tuer la volonté de tuer le cerveau. Dès que je commence à défaillir, mes poings mollissent et la vie revient. Aussitôt j'entends les échos d'ébats vigoureux — des bruits intimes, comme à travers les murs d'un hôtel bon marché. De plus en plus sonores. Émis par ma mère. La voici qui s'élance vers l'un de ses frissons périlleux.

Mais le mur de la mort de ma prison est trop haut. Je retombe dans la cour de promenade de mon existence muette.

Enfin Claude retire son poids répugnant — je salue sa brièveté grossière — et je retrouve mon espace, bien que j'aie des fourmis dans les jambes. Je récupère, pendant que Trudy se repose sur le dos, terrassée par l'épuisement et tous les regrets habituels.

*

Ce ne sont pas les parcs à thèmes du Paradis et de l'Enfer
que je redoute le plus — les attractions paradisiaques, les
foules infernales — et je pourrais survivre à l'offense d'un
oubli éternel. Je ne me formalise même pas d'ignorer ce qui
m'attend. Ce dont j'ai peur, c'est de rater quelque chose.
Désir sain ou simple appétit, je veux d'abord ma vie, mon
dû, ma tranche infinitésimale de temps indéfini et la possibilité d'avoir une conscience. On me doit une poignée de
décennies pour tenter ma chance sur une planète en roue
libre. L'attraction qu'il me faut, c'est le mur de la vie. Je veux
mon ticket. Je veux devenir quelque chose. En d'autres
termes, il y a un livre que je veux lire, pas encore publié, pas
encore écrit, même si le début est en germe. Je veux lire
jusqu'au bout *Mon histoire du XXIe siècle*. Je veux être là, sur
la dernière page, quatre-vingts ans et quelque, frêle mais
alerte, dansant la gigue le soir du 31 décembre 2099.

Tout sera peut-être fini avant cette date, ce livre est donc
une sorte de thriller, violent, scandaleux, hautement commer-
cial. Une compilation de rêves, avec quelques touches d'horreur. Ce sera aussi, forcément, une histoire d'amour, et un
conte héroïque d'une inventivité géniale. Pour en avoir un
avant-goût, jetez un coup d'œil au tome précédent, le
XXe siècle. D'une lecture sinistre jusqu'à mi-parcours au moins,
mais captivant. Quelques chapitres expiatoires sur, disons,
Einstein et Stravinsky. Dans ce nouveau livre, l'une des nombreuses intrigues non résolues est la suivante : les neuf milliards
de héros échapperont-ils de justesse à un conflit nucléaire ?

Pensez-y comme à un sport de combat. Alignez les équipes. L'Inde contre le Pakistan, l'Iran contre l'Arabie saoudite, Israël contre l'Iran, les États-Unis contre la Chine, la Russie contre les États-Unis et l'OTAN, la Corée du Nord contre le reste du monde. Pour augmenter le score final, ajoutez des équipes : arriveront des joueurs qui ne représentent aucun État.

Jusqu'où ira la détermination de nos héros à mettre leur planète en surchauffe ? Une douillette hausse d'un degré six, projection ou espoir de quelques sceptiques, ouvrira la toundra à la culture de montagnes de blé, multipliera les restaurants de plage au bord de la Baltique, les nuées de papillons bigarrés dans les Territoires du Nord-Ouest canadien. Selon les prévisions les plus pessimistes, une flambée de quatre degrés favorisera les inondations ou sécheresses catastrophiques et tous les troubles liés à l'assombrissement du climat politique. La tension narrative monte d'un cran dans les intrigues secondaires d'intérêt local : le Moyen-Orient restera-t-il en ébullition, se videra-t-il de ses habitants en Europe pour transformer définitivement ce continent ? Se pourrait-il que l'islam plonge une de ses extrémités enfiévrées dans la cuve de refroidissement de la réforme ? Que l'État d'Israël concède quelques centimètres de désert aux populations qu'il a déplacées ? Quant à l'Europe, ses rêves séculaires d'unité risquent de se désagréger devant les vieilles haines, les nationalismes régionaux, les désastres financiers, la discorde. À moins qu'elle ne tienne le cap. J'ai besoin de savoir. Les États-Unis sombreront-ils discrètement dans le déclin ? Peu probable. La Chine va-t-elle acquérir une conscience ? Et la Russie ? Et la finance mondialisée, les multinationales ? Ensuite, l'entrée en scène de constantes humaines séduisantes : l'art et la sexualité, le vin et la science, les cathédrales, les paysages, la quête du sens. Enfin, l'océan intime des désirs — les miens : marcher pieds nus sur une plage autour d'un feu de camp, du poisson grillé, du jus de citron, de la musique, la compagnie d'amis, et quelqu'un, pas Trudy, pour m'aimer. Mes droits acquis d'enfant à naître en un volume.

D'où ma honte d'avoir tenté de me suicider, et mon soulagement d'avoir échoué. Il faudra s'occuper de Claude (qui fredonne à tue-tête dans la chambre d'écho de la salle de bains) par d'autres moyens.

À peine un quart d'heure s'est écoulé depuis qu'il a déshabillé ma mère. J'ai le sentiment que nous abordons une nouvelle phase de la soirée. Couvrant le bruit des robinets, il crie qu'il a faim. Maintenant que cet épisode dégradant est derrière elle et que son pouls bat normalement, ma mère revient sans doute au thème de l'innocence. Que Claude parle de dîner lui paraîtra sans doute déplacé. Voire cruel. Elle s'assied sur le lit, remet sa robe, cherche sa culotte sous les draps, enfile ses sandales et se dirige vers le miroir de sa coiffeuse. Elle entreprend de tresser sa chevelure qui, au naturel, retombe en une cascade de boucles blondes naguère célébrée par mon père dans un poème. Cela lui donne le temps de se ressaisir et de réfléchir. Elle prendra la salle de bains quand Claude en sera sorti. L'idée de l'approcher lui répugne désormais.

Ce dégoût réveille chez elle un besoin de pureté et de volonté. Quelques heures plus tôt, elle était maîtresse de la situation. Elle pourrait le redevenir, à condition de résister au prochain accès de désir malsain, asservissant. Là elle se sent bien, reposée, repue, immunisée, mais elle ne perd rien pour attendre : le petit animal en elle pourrait à nouveau enfler jusqu'à devenir un monstre, dévoyer ses pensées, la tirer vers le bas — et elle sera toute à Claude. Reprendre la maîtrise de la situation, toutefois... Je la vois d'ici méditer en inclinant son charmant visage face au miroir pour tresser une nouvelle mèche. Donner des ordres comme elle l'a fait le matin même dans la cuisine, organiser l'étape suivante équivaudra à assumer ses torts. Si seulement elle pouvait se réfugier dans le chagrin irréprochable de la veuve éplorée.

Pour l'heure, elle a du pain sur la planche. Tous les ustensiles souillés, gobelets et mixer compris, à jeter à la poubelle loin de la maison. La cuisine à nettoyer de toute trace. Seules les tasses à café doivent rester sur la table, non lavées. Ces corvées sans intérêt tiendront l'horreur à distance pendant une heure. Peut-être la raison pour laquelle elle pose une main rassurante sur la bosse qui me contient, près du creux de mes reins. Un geste d'amour et de foi en notre avenir. Comment a-t-elle pu envisager de me faire adopter ? Elle aura besoin de moi. J'illuminerai la pénombre d'innocence et de pathos qu'elle voudra autour d'elle. La mère et l'enfant : une grande religion monothéiste a tissé ses meilleurs récits à partir de ce symbole puissant. Assis sur ses genoux, l'index pointé vers le ciel, je la protégerai de toute poursuite judiciaire. Par contre — comme je déteste cette locution ! —, il n'y a eu aucun préparatif en vue de mon arrivée, ni vêtements ni meubles, aucune propension à préparer le nid. Jamais, à ma connaissance, je ne suis entré dans un magasin avec ma mère. Cet avenir plein d'amour est un fantasme.

Claude sort de la salle de bains et va droit à son portable. Une envie de nourriture, de se faire livrer des plats indiens, à ce qu'il marmonne. Elle l'évite pour aller faire ses propres ablutions. À notre retour il est encore au téléphone. Il a renoncé à la cuisine indienne au profit de la danoise : canapés, rollmops, viande froide. Il commande trop de choses, un réflexe naturel après un meurtre. Lorsqu'il a fini, Trudy est prête, cheveux tressés, lavée, dessous propres, nouvelle robe, une touche de parfum. Elle reprend les choses en main.

« Il y a un vieux sac de voyage dans le placard sous l'escalier.

— Je mange d'abord. Je meurs de faim.

— Vas-y maintenant. Ils peuvent revenir à tout moment.

— Je ferai les choses à ma façon.

— Tu feras ce que… »

Allait-elle vraiment ajouter : « je te dirai de faire » ? Quel chemin elle a parcouru pour le traiter comme un enfant, juste après avoir été son animal de compagnie. Il aurait pu l'ignorer ostensiblement. Il aurait pu y avoir une scène. Mais le voilà qui décroche. Ce ne sont pas les Danois qui confirment la commande, ce n'est même pas son portable. Ma mère vient derrière lui pour voir. Ce n'est pas non plus la ligne fixe, mais le visiophone. Frappés de stupeur, ils fixent l'écran. Une voix leur parvient, déformée, privée de ses graves : une supplique insistante, presque inaudible.

« S'il vous plaît. Il faut absolument que je vous parle !

— Mon Dieu, dit ma mère, visiblement dégoûtée. Pas maintenant. »

Mais Claude, encore irrité d'avoir reçu un ordre, a toutes

les raisons de faire acte d'autorité. Il appuie sur la touche, raccroche l'appareil, et le silence s'installe. Ils n'ont rien à se dire. Ou trop de choses.

Puis nous descendons en chœur accueillir la poétesse des chouettes.

14

Dans l'escalier, j'ai le temps de me féliciter de mon manque de détermination, de méditer sur la spirale de l'échec chez quelqu'un voulant s'étrangler lui-même. Certaines tentatives sont condamnées d'emblée, non par lâcheté mais par leur nature même. Franz Reichelt, le Tailleur volant, a fait une chute mortelle du haut de la tour Eiffel en 1912, vêtu d'une ample combinaison de parachutiste, certain que son invention pourrait sauver la vie des aviateurs. Il a hésité quarante secondes avant de sauter. Quand il a fini par basculer dans le vide, le souffle a plaqué l'étoffe autour de son corps et il est tombé comme une pierre. Les faits, la réalité mathématique étaient contre lui. Au pied de la tour il s'est enfoncé dans le sol gelé de Paris, une tombe de quinze centimètres de profondeur.

Ce qui m'amène, lorsque Trudy prend lentement le virage à angle droit sur le palier du premier étage, et après cette digression sur la mort, à la question de la vengeance. J'y vois plus clair, et je suis soulagé. La vengeance : une pulsion instinctive, puissante — et pardonnable. Insulté, trompé, estropié, nul ne peut résister à l'attrait de noires pensées vengeresses. Et dans une telle extrémité, après le meurtre d'un proche bien-aimé, ces fantasmes sont incandescents. Nous sommes des êtres grégaires, à une époque nous nous tenions mutuellement à distance par la violence ou sa menace, telle une meute de chiens. Nous naissons avec cette prédisposition délectable. À quoi sert l'imagination, sinon à simuler les possibilités les plus sanglantes, à s'y complaire, à les répéter ? On peut cent fois assouvir sa vengeance pendant une nuit d'insomnie. La pulsion, l'intention rêvée sont humaines, normales, et nous devrions nous pardonner à nous-mêmes.

Mais la main levée sur autrui, la violence d'un passage à l'acte sont maudits. C'est mathématique. Il n'y a aucun retour possible au *statu quo ante*, aucun remède ou soulagement exquis, en tout cas rien de durable. Seulement un second meurtre. Avant de t'embarquer dans un voyage vengeur, creuse deux tombes, disait Confucius. La vengeance défait une civilisation. C'est le retour à une peur constante, viscérale. Regardez ces malheureux Albanais, périodiquement victimes du *kanun*, leur culte idiot de l'affront lavé dans le sang.

Lorsque nous passons devant la précieuse bibliothèque de mon père, j'ai donc renoncé, non pas en pensée mais en acte, à venger sa mort dans cette vie ou dans la prochaine, postnatale. Et je m'absous de toute lâcheté. L'élimination de Claude ne ressuscitera pas mon père. Je prolongerai les quarante secondes d'hésitation de Reichelt ma vie entière. Non aux initiatives impétueuses. Si j'étais arrivé à mes fins avec le cordon, c'est celui-ci, et non Claude, qui aurait été retenu comme cause du décès par n'importe quel médecin légiste.

147

Un malheureux accident, et pas inhabituel, noterait-il. Ce serait un soulagement immérité pour ma mère et mon oncle.

Si l'escalier m'offre un tel espace de réflexion, c'est parce que Trudy avance à une vitesse d'escargot. Pour une fois sa main ne lâche pas la rampe. Elle descend une marche à la fois, s'arrête parfois, regarde autour d'elle, soupire. Je sais comment les choses se présentent. La visiteuse va retarder les tâches ménagères essentielles. La police pourrait revenir. Trudy n'est pas d'humeur à livrer bataille pour marquer jalousement son territoire. Il y a pourtant un problème de préséance. Sa place a été usurpée pour l'identification du corps — ce qui lui reste en travers de la gorge. Elodie n'est qu'une maîtresse de fraîche date. Ou pas. La liaison a pu précéder le déménagement à Shoreditch. Encore une plaie à panser. Mais pourquoi venir sonner ici? Pas pour recevoir du réconfort ou en offrir. Peut-être connaît-elle ou détient-elle une preuve accablante. Elle pourrait traîner Trudy et Claude dans la boue. À moins qu'il ne s'agisse d'un chantage. Ou de discuter de l'organisation des obsèques. Non, rien de tout cela. Bien sûr que non! Autant d'éventualités à éliminer laborieusement pour ma mère. Quelle fatigue, en plus du reste (la gueule de bois, un meurtre, des ébats épuisants, une grossesse avancée), de devoir exercer sa volonté et étendre sa haine à une visiteuse.

Mais elle est déterminée. Ses tresses impeccables dissimulent ses pensées à tout le monde sauf à moi, tandis que ses dessous — en coton, pas en soie, semble-t-il — et sa courte robe d'été imprimée, ample sans être volumineuse, sont bien en place. Ses bras nus et roses, ses jambes, le vernis pourpre de ses ongles de pieds, sa beauté épanouie, incontestable, s'exposent avec un aplomb intimidant. Elle ressemble à un navire de ligne ayant hissé les voiles, mais sans ostentation, et fermé les sabords. Un vaisseau de guerre au féminin, dont je suis la fière figure de proue. Elle descend comme si elle flottait, s'immobilisant par intermittence. Elle est prête à tout affronter.

Lorsque nous atteignons le hall, le spectacle a déjà commencé. Plutôt mal. La porte d'entrée s'est ouverte et refermée. Elodie est dans les bras de Claude.

« Oui, oui. Allons, allons, murmure-t-il entre deux séries de phrases hachées, larmoyantes.

— Je ne devrais pas. C'est une erreur. Mais je... Oh, je suis navrée. Ce que ça doit être. Pour vous. Je ne peux pas... Votre frère. C'est plus fort que moi. »

Ma mère reste au pied de l'escalier et se raidit avec méfiance, pas seulement envers la visiteuse. Un désespoir épique, donc.

Elodie n'a pas encore conscience que nous sommes là, ma mère et moi. Elle doit avoir le visage tourné vers la porte. La nouvelle qu'elle apporte est ponctuée de sanglots. « Demain soir. Cinquante poètes. De toute la... Oh, on l'aimait tellement. Une lecture à la bibliothèque de... Bethnal Green. Ou en plein air. Des bougies. Un poème chacun. On voudrait tellement que vous soyez... »

Elle s'interrompt pour se moucher. Ce faisant, elle s'écarte de Claude et aperçoit Trudy.

« Cinquante poètes », répète-t-il malgré lui. Quelle perspective pourrait lui répugner davantage ? « Ça fait beaucoup. »

Les sanglots d'Elodie s'étaient espacés, mais ils redoublent à cause de l'émotion contenue dans ses propres paroles. « Oh ! Bonsoir Trudy. Je suis tellement, tellement navrée. Si vous, ou bien… pouviez dire quelques… Mais nous comprendrions. Que vous. Que vous ne puissiez pas. Comme ce doit être… »

Nous l'abandonnons à son chagrin, dont les notes suraiguës rappellent une sorte de roucoulement. Elle tente de s'excuser, et nous entendons enfin : « Comparé à ce que vous… Tellement navrée ! C'est déplacé. »

Elle a raison, du point de vue de Trudy. À nouveau victime d'une usurpation. Son propre chagrin éclipsé par celui d'Elodie, elle reste imperturbable au pied de l'escalier. Au centre du hall d'entrée où flottent sans doute encore des relents d'immondices, nous sommes dans l'expectative. Nous écoutons Elodie et les secondes passent. Et maintenant, on fait quoi ? Claude a la réponse.

« Descendons. Il y a du pouilly-fumé au frigo.

— Je ne veux pas… Je suis juste venue…

— Par ici. »

Alors que Claude la guide et arrive devant ma mère, ils échangent sûrement un regard : celui, lourd de reproche de Trudy, doit croiser l'œil indifférent de Claude. Les deux femmes ne s'étreignent pas, ne se touchent même pas et ne s'adressent pas la parole alors qu'elles sont à quelques centimètres l'une de l'autre. Trudy les laisse partir devant, puis descend à son tour dans la cuisine où les deux coupables, Glycol et Smoothie de Judd Street, sont cachés au milieu du capharnaüm sous la forme de taches pour la police scientifique.

« Si ça vous dit, lance ma mère à Elodie en posant le pied sur le sol poisseux, Claude vous fera bien un sandwich. »

Cette innocente proposition cache plusieurs piques : elle est incongrue ; Claude n'a jamais fait de sandwich de sa vie ; il n'y a pas de pain dans la maison ni quelque garniture que ce soit, sauf de la poussière de cacahuètes salées. Et qui pourrait manger l'esprit tranquille un sandwich préparé dans une cuisine pareille ? Ostensiblement, Trudy ne propose pas de le préparer elle-même ; ostensiblement, elle met Elodie et Claude dans le même sac, bien distincts d'elle. C'est une accusation, un rejet, un dédain glacial sous couvert d'hospitalité. Même si je désapprouve, je suis impressionné. Ce genre de raffinement ne s'apprend pas en écoutant des conférences podcastées.

L'hostilité de Trudy a un effet bénéfique sur la syntaxe d'Elodie. « Merci, mais je ne pourrais rien avaler.

— Vous pourriez boire quelque chose, dit Claude.

— Ça oui. »

S'ensuit une succession de bruits familiers — la porte du réfrigérateur, le tintement du tire-bouchon heurtant la bouteille, le retrait sonore du bouchon, les verres de la veille au soir rincés sous le robinet. Du pouilly. Voisin du sancerre, sur l'autre rive du fleuve. Pourquoi pas ? Il est presque dix-neuf heures trente. Ces petits raisins à la moisissure d'un gris brumeux devraient nous convenir par une nouvelle soirée étouffante à Londres. Mais je veux quelque chose de plus. J'ai l'impression que Trudy et moi, nous n'avons rien mangé depuis une semaine. Mis en appétit par la commande téléphonique de Claude, j'aurais envie d'un hors-d'œuvre oublié, démodé : des *harengs pommes à l'huile**. Des harengs fumés un peu visqueux, des pommes de terre nouvelles bien fermes, de l'huile d'olive première pression, de l'oignon, du persil ciselé : cette entrée me fait venir l'eau à la bouche. Avec quelle élégance un pouilly-fumé l'accompagnerait ! Mais comment convaincre ma mère ? J'aurais plus vite fait d'égorger mon oncle. Jamais ce charmant pays, mon troisième choix après l'Angleterre et l'Italie, ne m'a paru si loin.

Nous sommes maintenant tous à table. Claude sert le vin, les verres se lèvent en un hommage lugubre au défunt.

Rompant le silence, Elodie chuchote avec respect : « Mais le suicide. C'est juste que ça lui... ressemble si peu.

— Oh, en fait... » Trudy ne termine pas. Elle a vu une opportunité à saisir : « Vous le connaissiez depuis combien de temps ?

— Deux ans. À l'époque où il enseignait...

— Donc vous ne pouvez pas savoir, pour ses dépressions. »

La voix calme de ma mère me porte au cœur. Quelle consolation pour elle, d'avoir foi en cette fable cohérente de troubles mentaux et de suicide.

« Mon frère n'était pas précisément homme à voir la vie comme un chemin de roses. »

Claude, je commence à le comprendre, n'est pas un menteur patenté.

« Je l'ignorais, dit Elodie d'une toute petite voix. Il se montrait toujours si généreux. Surtout avec nous, vous savez, la nouvelle génération qui...

— Il avait une face cachée, affirme Trudy avec force. Je me réjouis que ses étudiants ne l'aient jamais vue.

— Dès l'enfance, renchérit Claude. Un jour, il a donné un coup de marteau à notre...

— Ce n'est pas le meilleur moment pour raconter cette histoire.» Trudy a suscité l'intérêt en l'interrompant.

«Tu as raison. On l'aimait quand même.»

Je sens ma mère porter la main à son visage pour recouvrir ses yeux ou essuyer une larme. «Mais il a toujours refusé de se faire soigner. Il n'acceptait pas le fait d'être malade.»

Il y a soudain dans la voix d'Elodie une protestation ou une plainte que ma mère et mon oncle ne goûteront pas : «Ça ne tient pas debout. Il allait à Luton payer l'imprimeur. En liquide. Il était si content de rembourser une dette. Et il devait faire une lecture ce soir. Devant la King's College Poetry Society. Trois d'entre nous étaient chargés, en quelque sorte, de chauffer la salle.

— Il adorait la poésie», dit Claude.

Elodie hausse le ton sous l'effet de l'anxiété. «Pourquoi serait-il allé se garer et...? Comme ça. Alors qu'il venait de terminer son recueil. Et qu'il figurait dans la deuxième sélection du prix Auden.

— La dépression ne fait pas de quartier.» Claude me surprend par sa lucidité. «Tout ce qu'il y a de bon dans l'existence disparaît de votre...»

Ma mère lui coupe sèchement la parole. Elle en a assez. «Je sais que vous êtes plus jeune que moi, Elodie. Mais dois-je vraiment vous mettre les points sur les "i"? Une maison d'édition criblée de dettes. Comme lui-même. Déçu par son travail. Un enfant en route dont il ne voulait pas. Sa femme qui s'envoie en l'air avec son frère. Une maladie de peau. Plus la dépression. C'est clair? Vous trouvez qu'on ne souffre pas assez comme ça sans devoir en plus subir vos pleurnicheries, vos lectures et vos prix de poésie, et sans vous entendre me dire, à moi, que ça ne tient pas debout ? Vous l'avez eu pour amant. Estimez-vous heureuse. »

Trudy est interrompue à son tour. Par un petit cri et le claquement d'une chaise renversée.

Là, je me rends compte que mon père s'éloigne. Comme les particules des physiciens, il échappe aux définitions par la fuite. Poète-professeur-éditeur sûr de lui, reconnu, bien décidé à récupérer la maison ayant appartenu à son père avant lui ? Cocu malchanceux, exploité ? Ou ermite ridicule, miné par les dettes, le malheur et le manque de talent ? Plus on entend parler de l'un, moins les autres ont de réalité.

Le premier son émis par Elodie est à la fois un mot et un sanglot. « Jamais ! »

Un silence, dans lequel je sens que Claude, puis ma mère reprennent leurs verres.

« Je ne savais pas ce qu'il allait dire hier soir. Rien n'était vrai ! Il voulait revenir vivre avec vous. Il cherchait à vous rendre jalouse. Jamais il n'a eu l'intention de vous jeter dehors. »

Sa voix s'assourdit lorsqu'elle se penche pour redresser la chaise. « Voilà pourquoi je suis là. Pour vous dire la vérité, et vous feriez bien de vous mettre ça dans le crâne. Rien ! Il n'y a rien eu entre nous. John Cairncross était mon éditeur, mon ami, mon professeur. Il m'a aidée à devenir écrivain. C'est clair ? »

Je suis d'un naturel soupçonneux, mais Trudy et Claude la croient. Le fait qu'elle n'ait pas été la maîtresse de mon père devrait être une délivrance pour eux, mais cela crée sans doute d'autres problèmes. Une femme gênante, témoin de toutes les raisons que mon père avait d'aimer la vie. Quelle tuile!

« Rasseyez-vous, dit calmement Trudy. Je vous crois. Et plus de cris, je vous prie. »

Claude remplit les verres. Je trouve le pouilly-fumé trop léger, trop acide. Trop jeune, peut-être, pas fait pour l'occasion. Chaleur estivale mise à part, un pomerol musclé conviendrait sans doute mieux après tant d'émotions fortes. Si seulement il y avait une cave, si je pouvais descendre sur-le-champ dans la pénombre poussiéreuse pour sortir une bouteille du châssis à rayons. Rester seul avec elle quelques instants, écarquiller les yeux pour déchiffrer l'étiquette, la remonter en hochant la tête d'un air approbateur. La vie d'adulte, une oasis lointaine. Pas même un mirage.

J'imagine les bras nus de ma mère, croisés sur la table, son regard droit et clair. Nul ne pourrait deviner son tourment. John n'aimait qu'elle. Son évocation de Dubrovnik était sincère, mais sa déclaration de haine, son rêve de l'étrangler, son amour pour Elodie : autant de mensonges en désespoir de cause. Or elle ne peut pas se laisser abattre, elle doit rester inébranlable. Elle change de mode, d'humeur, elle a des questions à poser, apparemment sans hostilité.

« C'est vous qui avez identifié le corps. »

Elodie aussi est plus calme. « Ils ont tenté de vous contacter. Pas de réponse. Ils avaient son téléphone portable, ont vu l'historique des appels qui m'étaient destinés. Au sujet de la lecture de ce soir, rien de plus. J'ai demandé à mon fiancé de m'accompagner, tellement j'avais peur.

— Comment était-il ?

— Elle parle de John, dit Claude.

— J'ai été surprise. Il semblait apaisé. Sauf… » Elle prend une inspiration sifflante. « Sauf sa bouche. Elle était si longue, si large, presque d'une oreille à l'autre, comme le sourire d'un fou. Mais fermée. Heureusement. »

Autour de moi, dans la paroi utérine et les cavités cramoisies au-delà, je sens ma mère trembler. Encore un détail physique comme celui-là, et elle ne s'en remettra pas.

15

Au début de ma vie consciente, l'un de mes index, non encore soumis à mon influence, a frôlé une protubérance en forme de crevette entre mes jambes. Et, bien qu'index et crevette aient été à des distances différentes de mon cerveau, ils se sont trouvés simultanément : une énigme pour les neurosciences, connue sous le nom de problème de liaison. Quelques jours plus tard, le phénomène s'est reproduit avec un autre doigt. Après un temps de maturation, j'ai compris les implications. La biologie, c'est le destin, or le destin est digital et, en l'occurrence, binaire. C'était d'une simplicité déprimante. La question étrangement au cœur de toute naissance avait désormais sa réponse. Soit... soit... Rien d'autre. Au moment de notre éblouissante entrée dans le monde, nul ne s'exclame : « C'est une personne ! » Plutôt : « C'est une fille ! » « C'est un garçon ! » Rose, ou bleu — un progrès minime sur l'époque où Henry Ford proposait des voitures de n'importe quelle couleur pourvu qu'elles fussent noires. Seulement deux genres ! J'étais déçu. Si le corps, l'esprit, le sort des humains sont si complexes, si nous sommes plus libres que n'importe quel mammifère, pourquoi limiter l'éventail des possibles ? Je bouillais intérieurement, et puis, comme tout le monde, je me suis raisonné et j'ai tiré le meilleur parti de mon héritage. À coup sûr, je serais confronté à la complexité le moment venu. D'ici là, mon plan était d'arriver en tant qu'Anglais né libre, créature d'une ère postérieure au siècle des Lumières anglaises-et-écossaises-autant-que-françaises. Ma personnalité serait sculptée par le plaisir, les conflits, l'expérience, les idées et mon propre jugement, de même que les rochers et les arbres sont façonnés par la pluie, le vent et le passage du temps. Dans ma réclusion, par ailleurs, j'avais d'autres préoccupations : mon problème d'alcool, des soucis familiaux, un avenir incertain dans lequel je risquais une peine de prison ou une vie aux « bons soins » du Léviathan, élevé au treizième étage par une famille d'accueil.

Mais récemment, retraçant les rapports fluctuants de ma mère avec son crime, je me suis souvenu de rumeurs au sujet d'une nouvelle répartition du bleu et du rose. Ne vous engagez pas à la légère. Telle est la nouvelle politique de l'université. Cette digression peut sembler secondaire, mais j'entends m'inscrire dès que possible. Physique, gaélique, n'importe quoi. Donc je m'intéresse forcément au problème. Une étrange effervescence s'est emparée des jeunes presque instruits. Ils manifestent, parfois avec colère, mais surtout sous l'effet du manque, du désir d'obtenir la bénédiction des autorités, la validation de leurs identités choisies. Peut-être le déclin déguisé de l'Occident. Ou l'exacerbation et la libération du moi. Un réseau social est connu pour proposer soixante et onze genres différents : androgyne, bispirituel, bigenre… toutes les couleurs de l'arc-en-ciel, Mr Ford. La biologie, finalement, ce n'est pas le destin, et il faut s'en féliciter. Une crevette n'est ni contraignante ni immuable. J'assume sans ambiguïté ce que je suis. Si je nais blanc, je peux m'identifier comme noir. Et inversement. Je peux me présenter comme handicapé, ou comme personne à mobilité réduite. Si je me définis comme croyant, je suis facilement blessé dans ma chair à la moindre critique de ma foi. Offensé, j'entre en état de grâce. Si des opinions malsaines planent à proximité (c'est-à-dire à moins d'un kilomètre) tels des anges déchus ou des djinns maléfiques, il me faudra faire usage de la salle de repos du campus avec sa pâte à modeler et ses vidéos montrant en boucle des chiots bondissants. Ah, la vie intellectuelle ! J'aurai peut-être même besoin d'être alerté si des idées ou des livres dérangeants menacent mon intégrité en venant me souffler leur haleine au visage comme des chiens furieux.

Je ressentirai, donc je serai. Que les pauvres continuent à mendier et que le réchauffement climatique grille en enfer ! La justice sociale peut rester lettre morte. Je serai l'ardent défenseur des émotions, un militant en lutte avec des larmes et des soupirs pour que les institutions entourent son moi vulnérable. Mon identité sera mon trésor, mon seul véritable bien, mon accès à l'unique vérité. Le monde entier devra l'aimer, la nourrir et la protéger comme je le fais moi-même. Si mon université me refuse sa bénédiction et sa validation, si elle ne répond pas à mes besoins criants, j'irai pleurer dans le giron de son vice-président. Avant de réclamer sa démission.

L'utérus, celui-ci en tout cas, n'est pas un si mauvais endroit, un peu comme une tombe, « confortable et intime » selon un des poèmes préférés de mon père. J'en reconstituerai une version pour mes études, mettrai au rancart les Lumières des rosbifs, des mangeurs de haggis ou de grenouilles. À bas le réel, les faits ennuyeux, et cette prétendue objectivité si haïssable. L'émotion est reine. À moins qu'elle ne se prenne pour le roi.

Je sais. Le sarcasme sied mal à un enfant à naître. Et pourquoi digresser ? Parce que ma mère est en phase avec ces temps nouveaux. Sans doute ne le sait-elle pas, mais elle suit le mouvement. Son statut de meurtrière est une réalité extérieure, indépendante d'elle. Mais penser ainsi est démodé. Trudy clame son innocence, s'identifie à elle. Alors même qu'elle s'efforce d'effacer toute trace dans la cuisine, elle se sent irréprochable, et donc elle l'est — presque. Son chagrin, ses larmes sont une preuve de probité. Elle commence à se convaincre elle-même de la véracité de son histoire de dépression et de suicide. Elle prendrait quasiment les fausses preuves dans la voiture pour des vraies. Qu'elle se persuade elle-même, et elle n'aura aucun mal à vous tromper avec aplomb. Les mensonges sont sa vérité. Mais cette façade est de construction récente, et donc fragile. L'affreux rictus de mon père, ce sourire entendu et froid déformant le visage du cadavre, pourrait la mettre à bas. Voilà pourquoi il est indispensable qu'Elodie valide le moi innocent de ma mère. Et voilà pourquoi celle-ci se penche en avant, m'entraînant avec elle pour écouter, attendrie, les paroles hésitantes de la poétesse. Car Elodie sera bientôt interrogée par la police. Ses convictions, qui orienteront ses souvenirs et influenceront son récit, doivent prendre une forme correcte.

Contrairement à Trudy, Claude reconnaît son crime. C'est un homme de la Renaissance, un Machiavel, un méchant de la vieille école qui croit pouvoir assassiner quelqu'un sans être inquiété. Le monde ne lui parvient pas à travers les brumes de la subjectivité : il lui arrive réfracté par la bêtise et la cupidité, déformé comme par une vitre ou une flaque d'eau, mais gravé sur un écran devant son œil intérieur, un mensonge aussi acéré et lumineux que la vérité. Claude ignore qu'il est bête. Si on l'est, comment le sait-on ? Il peut avancer à tâtons dans un sous-bois de clichés, mais il comprend ce qu'il a fait et pourquoi. Il prospérera sans regarder en arrière, sauf s'il est arrêté et puni, auquel cas jamais il ne s'en prendra à lui-même, seulement à la malchance et au hasard. Il peut revendiquer son héritage, son ancrage dans le rationnel. Les ennemis des Lumières soutiendront qu'il en incarne l'esprit. Absurde !

Mais je sais ce qu'ils veulent dire.

16

Elodie m'échappe, telle une chanson presque oubliée, une mélodie inachevée — c'est le cas de le dire. Lorsqu'elle est passée tout près de ma mère et de moi dans le hall d'entrée, et qu'elle était encore à nos yeux la maîtresse de mon père, j'ai tendu l'oreille dans l'espoir d'entendre le crissement séduisant du cuir. Eh bien non, aujourd'hui elle porte sans doute des vêtements plus souples, plus colorés. Elle aurait fait forte impression à la lecture de poésie, ce soir. Quand elle criait sa détresse, sa voix était pure. Mais le récit de sa visite à la morgue, cramponnée au bras de son fiancé, faisait surtout entendre, à chaque fois qu'elle s'interrompait au milieu d'une phrase plaintive, la nasalisation de la jeune citadine, au grésillement savoureux. Maintenant que ma mère tend le bras en travers de la table pour prendre dans ses mains celle de sa visiteuse, je perçois le retour des voyelles nasillardes. Elodie se détend devant cette marque de confiance alors qu'elle, la poétesse, fait l'éloge des poèmes de mon père. Ce sont les sonnets qu'elle préfère.

« Il les écrivait dans un style courant, mais riche de sens, et tellement musical. »

L'emploi de l'imparfait est correct mais blessant. Elle parle comme si la mort de John Cairncross était confirmée, encaissée, rendue publique, aussi historiquement au-delà du chagrin que le sac de Rome. Trudy s'en offusquera plus que moi. J'ai été conditionné à juger nulle la poésie de mon père. Aujourd'hui, tout est revu à la hausse.

D'une voix dont la solennité sue l'hypocrisie, Trudy déclare : « Il faudra longtemps pour prendre toute la mesure de ses talents de poète.

— Oh oui ! Oh oui ! Mais on a déjà une certitude. Il dépasse Ted Hughes. Il est avec Fenton, Heaney et Plath.

— Des gens qui comptent », dit Claude.

Voilà mon problème avec Elodie. À quoi joue-t-elle ? Elle danse comme un corybante, tantôt ici, tantôt là. Couvrir mon père d'éloges est peut-être une façon de consoler ma mère. Dans ce cas c'est malvenu. À moins que le chagrin n'altère son jugement. Pardonnable. Ou que sa propre importance ne soit indissociable de celle de son mentor. Impardonnable. Ou bien qu'elle ne soit venue pour découvrir qui avait tué son amant. Intéressant.

Dois-je l'aimer ou me méfier d'elle ?

Ma mère s'est entichée d'elle et ne lui lâche pas la main. « Vous le savez mieux que moi. À ce niveau, le talent a un coût. Pas seulement pour lui. Gentil avec tous ceux qui ne sont pas des proches. Les inconnus également. "Presque aussi gentil que Heaney", disait-on. Encore que je n'aie ni connu ni lu Heaney. Mais derrière ces apparences, John souffrait le martyre…

— Non !

— Il doutait de lui-même. Une souffrance morale

constante. Il se déchaînait contre ceux qu'il aimait. Mais il était surtout cruel envers lui-même. Et puis, enfin, le poème s'écrit…

— Et le soleil se lève. » Claude a compris où sa belle-sœur voulait en venir.

Celle-ci couvre sa voix. « Ce style courant ? Une longue bataille sanglante pour l'arracher à son âme…

— Oh !

— Au détriment de sa vie privée. Et maintenant… »

Trudy s'étrangle sur ce dernier mot, chargé du présent funeste. Un jour comme celui-ci où tout est soumis à réévaluation, je peux me tromper. Mais j'ai toujours pensé que mon père écrivait vite, avec une facilité qui lui a été reprochée. Elle était retenue contre lui dans cette critique qu'il a un jour lue à voix haute pour prouver son indifférence. Je l'ai entendu le dire à ma mère lors d'une de ses tristes visites : si ça ne vient pas tout de suite, autant que ça ne vienne pas. Il y a une grâce particulière dans la facilité. Tout artiste aspire à être Mozart. Ensuite il avait ri de sa présomption. Trudy ne s'en souviendra pas. Tout comme elle ne saura jamais qu'alors même qu'elle mentait sur la santé mentale de mon père, la poésie de celui-ci enrichissait son lexique. « Se déchaînait » ? « l'arracher à son âme » ? Emprunts !

Mais ils font leur effet. Mère à sang froid, elle sait où elle va.

« Je l'ignorais », murmure Elodie.

Un silence. Trudy attend avec la concentration d'un pêcheur dont la mouche est joliment posée sur l'eau. Claude s'apprête à dire un mot, interrompu d'un regard dès la première voyelle.

Notre visiteuse reprend d'une voix théâtrale : « Toutes les recommandations de John sont gravées dans mon cœur. Placer une césure ? "Jamais au hasard. Reste à la barre. Privilégie le sens, l'unité de sens. C'est toi qui décides, toi seule." Bien connaître la métrique pour pouvoir "casser le rythme en connaissance de cause". Puis : "La forme n'est pas une cage. Seulement une vieille amie que l'on feint de quitter." Les sentiments, aussi : "Ne mets pas ton cœur à nu, répétait-il. Un seul détail dit la vérité." Ou encore : "Écris pour la voix, non pour la page ; écris pour le brouhaha d'une soirée dans une salle paroissiale." Il nous faisait lire James Fenton pour son génie du trochée. Après, il nous donnait des travaux pratiques pour la semaine suivante : un poème en quatre strophes, en tétramètres et en trochées catalectiques. Ce charabia nous amusait. Il nous a fait scander un exemple tiré d'une comptine : "Garçons et filles sortent jouer." Puis il a récité de mémoire "Chanson d'automne" de Auden : "Voici que les feuilles tombent / Les fleurs de Nurse vont faner[1]." Pourquoi la syllabe manquante à la fin du premier vers est-elle si efficace ? Nous étions incapables de lui répondre. Et que penser d'un poème où cette dernière syllabe était rétablie ? "Wendy me pressait d'être nu / Wendy, la caresse du drap." Il connaissait par cœur tout "Jeux d'intérieur près de Newbury" de John Betjeman et nous faisait pouffer de rire. C'est là que j'ai écrit mon premier poème sur les chouettes — avec le même mètre que "Chanson d'automne".

1. Citation de W. H. AUDEN, *Poésies choisies* (trad. Jean Lambert, Poésie/Gallimard, 2005). *(N.d.T.)*

« Il nous obligeait à apprendre par cœur nos meilleurs poèmes. Pour qu'on ait de l'assurance lors de nos premières lectures, qu'on soit sur scène sans notre texte. Je mourais presque de peur rien que d'y penser. Écoutez, je me mets à parler en trochées ! »

Les problèmes de scansion n'intéressent que moi. Je perçois l'impatience de ma mère. Ça a trop duré. Si je pouvais retenir mon souffle, je le ferais.

« Il nous invitait à boire un verre, nous prêtait de l'argent que nous ne remboursions jamais, nous écoutait raconter nos peines de cœur, nos disputes avec nos parents, notre prétendue angoisse de la page blanche. Il s'est porté caution pour un aspirant poète de notre groupe, un alcoolique. Il envoyait des lettres pour nous obtenir des bourses, de modestes piges dans les pages littéraires des journaux. Nous aimions les poètes qu'il aimait, ses opinions étaient les nôtres. Nous écoutions ses conférences à la radio, allions aux lectures qu'il nous indiquait. Et aux siennes. Nous connaissions tous ses poèmes, toutes ses anecdotes, tous ses tics de langage. Et nous pensions le connaître. Jamais il ne nous est venu à l'esprit que John, l'adulte, le grand prêtre, avait lui aussi des problèmes. Ni qu'il doutait de la valeur de sa poésie comme nous de la nôtre. Nous n'avions que des problèmes sexuels et financiers. Rien à voir avec son martyre. Si seulement nous avions su. »

La mouche a été gobée, la ligne s'est tendue, tremblante, et maintenant le poisson gît dans l'épuisette. Je sens ma mère soulagée.

Mon père, cette mystérieuse particule, gagne en masse,

en crédibilité et en intégrité. Je suis pris entre la fierté et le remords.

« Ça n'aurait rien changé, assure gentiment Trudy. Il ne faut rien vous reprocher. Claude et moi, nous savions. Nous avons tout essayé. »

Entendant son prénom, Claude toussote. « Son cas était désespéré. Il était son pire ennemi.

— Avant que vous ne partiez, poursuit Trudy, je voudrais vous offrir un petit quelque chose. »

Nous montons jusqu'à l'entrée, puis au premier, ma mère et moi d'un pas lugubre, Elodie sur nos talons. Le but est sûrement de permettre à Claude de rassembler tout ce dont il doit se débarrasser. Nous sommes maintenant dans la bibliothèque. La jeune poétesse reprend son souffle en découvrant trois murs couverts de poésie.

« Pardon pour cette odeur de renfermé. »

Déjà. Les livres, l'atmosphère même de la bibliothèque portent le deuil.

« J'aimerais que vous preniez un de ces recueils.

— Oh, je ne pourrai jamais. Vous ne devriez pas les garder tous ensemble ?

— Ça me ferait plaisir. Et à John aussi. »

Nous attendons qu'elle se décide.

Gênée, Elodie fait vite. Elle vient nous montrer son choix.

« John a inscrit son nom à l'intérieur. Peter Porter. *Le prix du sérieux*. Il contient "Une élégie". Encore des tétramètres. Les plus beaux.

— Ah oui. Il était venu dîner un soir. Je crois. »

Un coup de sonnette couvre le dernier mot. Plus sonore,

plus prolongé que d'habitude. Ma mère se raidit, son cœur bat plus vite. Que redoute-t-elle?

«Je sais que vous allez avoir beaucoup de visites. Merci enc...

— Chut!»

Nous allons sans bruit sur le palier. Trudy se penche avec précaution au-dessus de la rampe. Elle fait attention, désormais. D'en haut, nous entendons Claude parler dans le micro du visiophone, puis ses pas dans l'escalier de la cuisine.

«Bon sang, souffle ma mère.

— Ça va? Vous voulez vous asseoir?

— Je crois que oui.»

Nous reculons pour que l'on ne nous voie pas de la porte d'entrée. Elodie aide ma mère à s'installer dans le fauteuil tendu de cuir craquelé, où naguère elle rêvassait pendant que son mari lui lisait des poèmes.

La porte s'ouvre, quelques murmures, elle se referme. Les pas d'une seule personne retraversent le hall. Évidemment: la livraison du repas danois, les canapés, mon rêve de harengs sur le point de devenir réalité, en partie.

Trudy se tient le même raisonnement. «Je vous raccompagne.»

Au rez-de-chaussée, devant la porte avant de partir, Elodie se retourne vers Trudy: «Je suis convoquée au commissariat demain matin, à neuf heures.

— Je suis désolée. Ça va être dur pour vous. Dites-leur tout ce que vous savez.

— Entendu. Merci. Pour le livre aussi.»

Elles s'étreignent, s'embrassent, et Elodie s'en va. Avec ce qu'elle était venue chercher, je parie.

Nous regagnons la cuisine. Je me sens bizarre. Affamé. Épuisé. Désespéré. Je m'inquiète à l'idée que Trudy dise à Claude qu'elle n'est pas en état de manger. Pas après ce coup de sonnette. La peur est un vomitif. Je vais mourir avant ma naissance, et mourir maigre. Mais ma mère, la faim et moi ne faisons qu'un, et le couvercle des barquettes en alu est vite arraché. Claude et Trudy dévorent le contenu, debout près de la table de la cuisine, où les tasses de café de la veille se trouvent peut-être encore.

« Tes bagages sont faits ? Tu es prête à partir ? » demande Claude, la bouche pleine.

Rollmops, cornichons et rondelle de citron sur une tranche de pain de seigle complet. Ils ne mettent pas long-temps à arriver jusqu'à moi. Je suis bientôt vivifié par une liqueur tonique plus salée que le sang, par l'odeur des embruns d'une immense voie maritime où quelques bancs de harengs isolés fendent des eaux glacées, pures et sombres, en direction du nord. Un vent arctique réfrigérant déferle sur mon visage, comme si je me dressais vaillamment à la proue d'un bateau s'aventurant sans peur dans une liberté glaciale. En fait, Trudy engloutit un canapé après l'autre sans inter-ruption, jusqu'au moment où elle jette le dernier après la première bouchée. Elle chancelle, il lui faut une chaise.

Elle pousse un grognement. « C'était délicieux ! Regarde, des larmes. J'en pleure de plaisir.

— Je m'en vais, répond Claude. Tu peux pleurer toute seule. »

Longtemps, j'ai été presque trop gros pour cet endroit. Maintenant je suis vraiment trop gros. Mes bras et mes jambes sont étroitement repliés contre mon torse, ma tête est coincée dans mon unique sortie possible. Je porte le corps maternel comme une casquette vissée sur moi. J'ai mal au dos, je ne suis pas en forme, mes ongles ont besoin d'être coupés, je n'en peux plus d'attendre dans cette pénombre où la torpeur n'annihile pas les pensées, mais leur donne libre cours. La faim, puis le sommeil. Un besoin assouvi, un autre prend sa place. *Ad infinitum*, jusqu'à ce que ces besoins ne soient plus que des caprices, des luxes. Il y a là quelque chose qui touche à l'essence de notre condition. Mais je laisse ça à d'autres. Je suis confit dans le vinaigre, les harengs m'emportent avec eux vers le nord, juché sur les épaules de leur banc géant, et une fois là-bas j'entendrai non pas le cri des phoques ou le grondement de la glace, mais la musique des preuves en voie de disparition, des robinets ouverts, des bulles de savon qui crèvent ; j'entendrai les bruits de vaisselle à minuit, les chaises retournées sur la table et qui laissent voir le sol jonché de miettes de nourriture, de cheveux, et de crottes de souris. Oui, j'étais là quand une fois de plus Claude a tenté ma mère, l'a appelée sa souris, lui a pincé bien fort la pointe des seins, lui a empli les joues de son haleine mensongère et de sa langue bouffie de clichés.

Et je n'ai rien fait.

17

Je m'éveille dans un silence quasi total pour me retrouver à l'horizontale. Comme toujours, je tends l'oreille. Derrière le cœur de Trudy qui bat patiemment, derrière les soupirs de sa respiration et le grincement imperceptible de sa cage thoracique, les murmures et sécrétions d'un corps maintenu en bon état par les réseaux cachés de l'entretien et de la régulation, comme dans une ville bien gérée en pleine nuit. Au-delà de la paroi utérine, à intervalles réguliers, le brouhaha des ronflements de mon oncle, moins sonores que d'habitude. À l'extérieur de la pièce, aucun bruit de circulation automobile. En d'autres temps, je me serais retourné tant bien que mal pour replonger dans une somnolence sans rêve. Là, une écharde, la pointe acérée d'une vérité de la veille troue le voile délicat du sommeil. Alors tout et tout le monde, la petite troupe d'acteurs complaisants, se faufile par la déchirure. Qui est le premier? Mon père souriant, et la pénible nouvelle de son honnêteté et de son talent. La mère à laquelle je suis lié, un lien fait d'amour et de haine. Claude, créature lubrique et satanique. Elodie, poétesse de la scansion, aux dactyles approximatifs. Et moi plein de lâcheté, ayant renoncé à la vengeance et à tout sauf à mes pensées. Ces cinq personnages défilent devant moi, jouant leur rôle dans les événements exactement comme ceux-ci ont eu lieu, auraient pu avoir lieu et peuvent encore avoir lieu. Je n'ai pas le pouvoir d'influer sur leur cours. Je ne peux que regarder. Les heures passent.

Plus tard, des voix me réveillent. Je suis en pente, ce qui signifie que ma mère est assise dans son lit, adossée à des oreillers. La circulation au-dehors n'a pas encore sa densité habituelle. Je dirais six heures du matin. Ma principale inquiétude est que nous ayons droit à une visite matutinale du mur de la mort, ma mère et moi. Mais non, ils ne se touchent même pas. Conversation uniquement. Ils ont pris assez de plaisir pour que les effets se prolongent au moins jusqu'à midi, ce qui laisse le champ libre à la rancœur, à la discussion, voire au regret. Ils ont choisi la première. Ma mère a ce ton imperturbable qu'elle réserve à l'expression de son ressentiment. La première phrase complète que je comprends est celle-ci :

« Si tu n'étais pas entré dans ma vie, John serait encore là aujourd'hui. »

Claude réfléchit. « Idem si tu n'étais pas entrée dans la mienne. »

Un silence suit cette parade. Trudy fait une nouvelle tentative. « En introduisant ce produit dans la maison, tu as transformé des jeux idiots en quelque chose d'autre.

— Produit que tu as fait boire à John.

— Si tu n'avais pas…

— Écoute, ma chérie… »

Ces mots tendres sonnent avant tout comme une menace.

Claude reprend son souffle et réfléchit à nouveau. Il sait qu'il doit être gentil. Mais pour lui la gentillesse sans désir, sans promesse d'une gratification érotique, ne va pas de soi. Sa gorge se noue. « Tout se présente bien. Pas d'affaire criminelle. On tient le cap. Cette jeune femme dira tout ce qu'il faut.

— Grâce à moi.

— C'est vrai. Certificat de décès : en bonne voie. Testament aussi. Crémation et à-côtés aussi. Le bébé et la maison en vente aussi...

— Mais quatre millions cinq cent mille...

— C'est très bien. Dans le pire des scénarios, le plan B est prêt. »

Seule la syntaxe pourrait faire croire que je suis en vente. Mais je serai libre au moment de la livraison. Ou sans valeur.

« Quatre millions cinq cent mille, répète Trudy avec dédain.

— Rapide. Pas de questions gênantes. »

Un duo entre amants, qu'ils ont sans doute déjà répété. Je n'écoute pas toujours.

« Pourquoi cette précipitation ? demande Trudy.

— Au cas où les choses tourneraient mal.

— Pourquoi je te ferais confiance ?

— Pas le choix. »

L'acte de vente est-il déjà prêt ? A-t-elle signé ? Je n'en sais rien. Parfois je somnole et je n'entends pas tout. D'ailleurs je m'en moque. Ne possédant rien, je me moque de l'immobilier. Gratte-ciel, bidonvilles, tous les ponts et les temples au milieu... gardez-les. Je m'intéresse uniquement au post-partum, aux peintures rupestres, à l'agneau sanglant qui s'élève vers le ciel. Toujours plus haut. Dans les airs sans montgolfière. Emmenez-moi avec vous, lâchez du lest. Donnez-moi ma chance, ma vie d'après, le paradis sur terre, et même un enfer, un treizième étage. Je suis de taille. Je crois en la vie après la naissance, même si je sais qu'il est difficile de séparer les espoirs des faits. Je me contenterai d'un peu moins que l'éternité. Soixante-dix ans ? Emballé, c'est pesé. Je suis preneur. Quant à l'espoir : j'ai entendu beaucoup de choses sur les récents massacres au nom d'une vie rêvée dans l'au-delà. Chaos dans ce monde, béatitude dans le suivant. Des jeunes gens avec une barbe toute neuve, une peau magnifique et des armes de guerre sur le boulevard Voltaire, qui regardaient droit dans les yeux magnifiques, incrédules, d'autres jeunes de la même génération. Ce n'est pas la haine qui a tué les innocents, mais la foi, ce fantôme insatiable encore vénéré, même dans les quartiers les plus paisibles. Il y a longtemps, quelqu'un a présenté une certitude sans fondement comme une vertu. Aujourd'hui, les gens les plus civilisés se reconnaissent en elle. J'ai entendu à la radio leurs messes du dimanche matin retransmises depuis l'enceinte d'une cathédrale. Ensemble, les spectres les plus vertueux de l'Europe — les religions et, quand elles faiblissaient, les utopies athées, au nom du progrès scientifique — ont mis la terre à feu et à sang du Xe au XXe siècle. Ils sont de retour, ressuscités en Orient, menant leur quête millénariste, apprenant aux petits enfants à trancher la gorge des ours en peluche. Et maintenant me voici, avec ma foi, faite maison, en une vie après la naissance. Elle est plus qu'une émission de radio, je le sais. Les voix que j'entends ne sont pas, ou du

174

moins pas seulement, dans ma tête. Je pense que mon heure viendra. Moi aussi, je suis vertueux.

*

La matinée se déroule comme si de rien n'était. Les propos amers échangés tout bas par Trudy et Claude s'espacent, puis font place à plusieurs heures de sommeil, après quoi ma mère laisse Claude dormir et prend une douche. Dans la chaleur vibrante des gouttelettes qui s'abattent à grande vitesse et au son de la mélodie qu'elle chantonne, j'éprouve une joie et une surexcitation inexplicables. C'est plus fort que moi, je ne peux m'empêcher d'être heureux. L'effet d'hormones d'emprunt ? Peu importe. Je vois le monde d'une couleur dorée, même si pour moi elle n'est qu'un mot. Je la sais proche du jaune, rien qu'un mot lui aussi. Mais doré me paraît juste, je sens cette couleur en moi, j'y goûte à l'arrière de mon crâne, là où l'eau tiède tombe en cascade. Aucun souvenir d'avoir connu pareille euphorie. Je suis prêt, j'arrive, le monde va m'accueillir, prendre soin de moi car il ne pourra me résister. Vin au verre plutôt que filtré par le placenta, livres lus à la lumière d'une lampe, musique de Bach, promenades sur la plage, baisers au clair de lune. Tout ce que j'ai appris jusqu'à présent le prouve : ces plaisirs ne coûtent pas grand-chose, ils sont accessibles, ils m'attendent. Même lorsque les trombes d'eau cessent, que nous sortons dans un air plus frais et que je suis secoué à en avoir le tournis par la serviette de Trudy, j'ai l'impression d'entendre des chants à l'intérieur de mon crâne. Des chœurs d'anges !

Encore une journée caniculaire, encore une ample robe

175

de coton imprimé — dans mes rêves, en tout cas —, les sandales d'hier, pas d'eau de toilette car la savonnette de Trudy, si c'est celle offerte par Claude, est parfumée au gardénia et au patchouli. Aujourd'hui, pas de tresses. À la place, deux dispositifs en plastique, sûrement de couleur vive, retiennent ses cheveux au-dessus de chaque oreille. Mon moral commence à baisser quand nous descendons l'escalier familier. Comment ai-je pu oublier mon père pendant plusieurs minutes d'affilée ? Nous pénétrons dans une cuisine propre, dont l'ordre inhabituel est l'hommage nocturne rendu à son mari par ma mère. Son élégie. L'acoustique est modifiée, le sol ne colle plus aux sandales de Trudy. Les mouches sont parties vers d'autres cieux. En se dirigeant vers la cafetière électrique, elle se dit sans doute, comme moi, qu'Elodie doit être sortie de son interrogatoire. Les représentants de la loi doivent être en train de confirmer ou d'abandonner leurs premières impressions. Pour nous, dans l'immédiat, les deux hypothèses sont encore vraies. Au loin, le chemin semble former une fourche, mais il a déjà bifurqué. Quoi qu'il en soit, nous aurons une visite.

Ma mère ouvre un placard pour prendre une boîte de café moulu et un filtre en papier, elle ouvre le robinet d'eau froide, remplit la cafetière, va chercher une cuiller. Presque toutes les tasses sont propres. Elle en dispose deux sur la table. Il y a quelque chose d'émouvant dans cette routine familière, dans le bruit sourd de ces modestes objets à la surface des meubles — et dans le petit soupir que pousse Trudy en se tournant ou en inclinant légèrement notre masse encombrante. J'ai déjà compris qu'une partie de la vie est oubliée au moment même où elle se déroule. La plus grande partie. Le présent dédaigné qui s'éloigne comme s'il se dévidait d'une bobine, le doux torrent des pensées dérisoires, le miracle longtemps négligé de l'existence même. Lorsque ma mère n'aura plus vingt-huit ans, qu'elle ne sera plus enceinte ni belle, ni même libre, elle ne se souviendra plus de la façon dont elle a posé la cuiller, du son produit par celle-ci sur le plan de travail, de la robe qu'elle porte aujourd'hui, du contact de la bride de sa sandale entre ses orteils, de la chaleur de l'été, du brouhaha de la ville au-delà des murs de la maison, du chant d'oiseau qui s'élève brièvement derrière la vitre. Tout a déjà disparu.

Mais aujourd'hui est une journée particulière. Si Trudy oublie le présent, c'est parce que son cœur est déjà dans l'avenir, celui qui se profile. Elle pense aux mensonges qu'elle va devoir raconter, à la nécessité qu'ils soient cohérents et ne contredisent pas ceux de Claude. C'est oppressant, le genre de sensation qu'elle éprouvait autrefois avant un examen. Un petit frisson dans le bas du ventre, les genoux qui se dérobent, une tendance à bâiller. Elle devra connaître son texte. Le coût d'un échec étant plus élevé, plus impressionnant que celui de n'importe quel contrôle scolaire. Elle pourrait essayer une devise rassurante de son enfance : « Il n'y aura pas mort d'homme. » Ce serait de mauvais goût. Je compatis. Je l'aime.

Voilà que je ressens un instinct protecteur. J'ai du mal à me débarrasser de l'idée absurde selon laquelle la vie des gens très beaux devrait être régie par d'autres codes. Un visage tel que celui que je lui prête devrait bénéficier d'un respect particulier. Pour elle la prison serait une insulte. Je l'ai toute à moi, dans cette cuisine en ordre, ensoleillée et paisible, pendant que Claude fait la grasse matinée. Nous devrions être proches, elle et moi, plus proches que des amants. Il y a quelque chose que nous devrions nous chuchoter à l'oreille. Peut-être un au revoir.

18

Au début de l'après-midi, le téléphone sonne et l'avenir se présente : la commissaire Clare Allison, désormais chargée de l'enquête. La voix semble aimable, aucune trace d'accusation. Ce qui peut être mauvais signe.

Nous sommes à nouveau dans la cuisine, Claude a le combiné dans une main. Dans l'autre, son premier café de la journée. Trudy est debout près de lui et nous entendons les deux parties. « Enquête » ? Le mot contient une menace. « Commissaire » ? Aussi peu rassurant.

Je mesure l'anxiété de mon oncle au zèle qu'il déploie pour prouver sa bonne volonté. « Oui. Mais oui ! Bien sûr. Je vous en prie. »

La commissaire Allison compte venir nous voir. La procédure normale voudrait que Trudy et Claude se rendent tous deux au commissariat pour un entretien. Ou pour faire une déposition le cas échéant. Cependant, compte tenu de la grossesse avancée de Trudy et du deuil qui a frappé la famille, la commissaire se déplacera en personne, avec un policier en tenue, au cours de l'heure à venir. Elle aimerait jeter un coup d'œil aux lieux où le défunt a été vu pour la dernière fois.

Cette précision, innocente et rationnelle à mes oreilles, suscite chez Claude des efforts frénétiques pour se montrer accueillant. « Venez, je vous en prie. Formidable. Mais si. Vous nous prendrez comme vous nous trouverez. Sommes impatients. Vous... »

La commissaire raccroche. Claude se tourne vers nous, sans doute livide, et dit d'un ton déçu : « Ah. »

Trudy ne peut se retenir de l'imiter. « "Tout se présente... bien", n'est-ce pas ?

— C'est quoi, cette histoire d'"enquête" ? Il ne s'agit pas d'une affaire criminelle. » Il s'adresse à un auditoire imaginaire, un conseil d'anciens. Un jury.

« Je n'aime pas ça », murmure ma mère, plutôt pour elle. Ou pour moi, aimerais-je croire. « Je n'aime pas ça du tout.

— C'est censé relever de la médecine légale. » Contrarié, Claude s'éloigne, fait le tour de la cuisine et revient vers nous, désormais indigné. Il se plaint à Trudy. « Ça ne concerne absolument pas la police.

— Ah bon ? Tu ferais mieux d'appeler la commissaire pour mettre les choses au point.

— Cette poétesse. Je savais qu'on ne pouvait pas lui faire confiance. »

Ma mère et moi comprenons qu'elle se retrouve curieusement responsable des propos d'Elodie, que c'est une accusation.

« Elle te plaisait bien, pourtant.

— Tu as prétendu qu'elle nous serait utile.

— Mais elle te plaisait. »

La répétition imperturbable de cette pique ne le fait pas réagir.

« À qui n'aurait-elle pas plu ? Ça intéresse qui ?

— Moi. »

Je me demande une fois de plus ce que j'ai à gagner d'un désaccord entre eux. Cela pourrait les envoyer sous les verrous. Alors je garderais Trudy. J'ai entendu dire qu'en prison, les mères allaitantes ont un traitement de faveur. Mais je perdrais un de mes droits acquis à la naissance : ma liberté. Alors qu'ensemble, en faisant équipe, elle et lui peuvent s'en tirer. Puis me placer en famille d'accueil. Plus de mère, mais je serais libre. Que choisir ? Je me suis déjà fait ces réflexions, revenant toujours au même principe sacré, à la seule décision possible. Je préfère sacrifier le confort matériel et tenter ma chance dans le vaste monde. Je vote pour la liberté. Il faut que les meurtriers s'en sortent. Le moment est donc venu, avant que la discussion au sujet d'Elodie ne dégénère, de donner un nouveau coup de pied à ma mère, de la détourner de ses chamailleries au profit de la réalité plus intéressante de mon existence. Pas un coup de pied ni deux, mais trois, le chiffre magique dans les meilleures histoires des temps anciens. Trois fois, comme dans le reniement de Jésus par Pierre.

« Oh, oh, oh ! » Presque une chanson. Claude lui présente une chaise et lui apporte un verre d'eau.

« Tu es en sueur.

— J'ai trop chaud, en fait. »

Il tente d'ouvrir les fenêtres. Elles ne l'ont pas été depuis des années. Il cherche des glaçons dans le réfrigérateur. Les bacs sont vides après trois récentes tournées de gin-tonic. Il s'assied en face d'elle et lui prodigue sa compassion en guise de rafraîchissement.

« Tout va bien se passer.

— Ça m'étonnerait. »

Le silence de Claude vaut approbation. Je m'apprêtais à donner un quatrième coup de pied, mais Trudy est de mauvaise humeur. Elle pourrait devenir agressive et s'attirer une riposte dangereuse.

Après quelques instants, Claude répond sur un mode apaisant : « On devrait tout passer en revue une dernière fois.

— Et si on prenait un avocat ?

— Un peu tard.

— On dira qu'on ne parlera qu'en sa présence.

— Ça fera mauvais effet, s'ils viennent seulement s'entretenir avec nous.

— Je n'aime vraiment pas ça.

— On devrait tout passer en revue. »

Mais ils ne le font pas. Tétanisés, ils voient approcher l'heure d'arrivée de la commissaire Allison. « Au cours de l'heure à venir » pourrait maintenant signifier : d'une minute à l'autre. Sachant tout, presque tout, je suis complice du meurtre, bien évidemment à l'abri d'un interrogatoire, mais plein d'appréhension. Et à la fois curieux et impatient de voir la commissaire à l'œuvre. Un esprit agile pourrait faire craquer les deux acolytes en quelques secondes. Trudy trahie par ses nerfs, Claude par sa bêtise.

J'essaie de me représenter où se trouvent les tasses à café datant du matin de la visite de mon père. Elles doivent désormais trôner près de l'évier, non lavées. L'ADN sur l'une d'elles prouvera que ma mère et mon oncle disent la vérité. Les restes du repas danois sont sûrement à proximité.

«Vite, dit enfin Claude. Allons-y. Où a commencé la dispute?

— Dans la cuisine.

— Non. Sur le pas de la porte. À quel sujet?

— L'argent.

— Non. La décision de te mettre dehors. Depuis combien de temps était-il déprimé?

— Des années.

— Des mois. Quelle somme je lui ai prêtée?

— Mille livres.

— Cinq mille. Bon sang, Trudy!

— Je suis enceinte. Ça ralentit le cerveau.

— Tu l'as dit toi-même hier: tout tel que ça s'est passé, plus la dépression, moins le smoothie, plus la dispute.

— Plus les gants. Moins sa décision de revenir ici.

— Nom de Dieu, oui. Reprenons. Pourquoi était-il déprimé?

— À cause de nous. De ses dettes. De son travail. Du bébé.

— Bon.»

Ils recommencent une deuxième fois. À la troisième, tout semble davantage au point. Écœurante, cette complicité qui m'amène à souhaiter qu'ils réussissent.

«Donc tu diras bien tout.

— Tel que ça s'est passé. Moins le smoothie, plus la dispute et les gants, moins la dépression, plus sa décision de revenir ici.

— Non, bordel! Tel que ça s'est passé, Trudy! Plus la dépression, moins le smoothie, plus la dispute, plus les gants, moins sa décision de revenir.»

Un coup de sonnette, et ils se figent.

« Dis qu'on n'est pas prêts. »

Dans l'esprit de ma mère, c'est une blague. Ou une preuve de sa terreur.

Marmonnant sans doute des obscénités, Claude va vers le visiophone, puis il se ravise et se dirige vers l'escalier et la porte d'entrée.

Trudy et moi tournons fébrilement en rond dans la cuisine. Elle aussi marmonne, peaufinant son récit. Chaque effort de mémoire successif a le mérite de l'éloigner un peu plus des événements réels. Elle se remémore ses souvenirs. Les erreurs de transcription joueront en sa faveur. Elles lui serviront de coussin protecteur au début, avant de devenir des vérités. Elle pourrait également se dire que ce n'est pas elle qui a acheté l'antigel, puis est allée dans Judd Street, a préparé le cocktail, mis les faux indices dans la voiture, jeté le mixer. Elle s'est bornée à nettoyer la cuisine — rien d'illégal. Convaincue, elle sera libérée de tout remords conscient et aura peut-être une chance. Le mensonge efficace, comme la maîtrise du swing au golf, requiert l'absence d'effort. J'ai écouté les commentateurs sportifs.

Je suis d'une oreille attentive les pas qui descendent l'escalier et je trie. Malgré son ancienneté, la commissaire Allison est mince, voire menue. Des poignées de main sont échangées. À son « Comment allez-vous ? » bourru, je reconnais le policier âgé venu la veille. Qu'est-ce qui a bloqué sa promotion ? L'origine sociale, le niveau d'études, le QI, une affaire de mœurs ? Cette dernière, j'espère, laquelle lui serait entièrement imputable et ne mériterait pas ma compassion.

Prestement, la commissaire s'assied à la table de la cuisine et nous invite tous à faire de même, comme si la maison lui appartenait. J'imagine que ma mère la croit plus facile à tromper qu'un homme. Clare Allison ouvre un dossier, et fait claquer mécaniquement son stylo-bille en parlant. Tout d'abord, déclare-t-elle — avant de s'interrompre, certainement pour regarder avec insistance Trudy et Claude droit dans les yeux —, elle tient à présenter ses sincères condoléances pour cette disparition d'un mari et d'un frère aimé. Pas de père aimé. Je lutte contre un sentiment glacial et familier d'exclusion. Mais la voix est chaleureuse, sonore pour une femme mince, détendue malgré la charge de la fonction. Son léger accent cockney reflète parfaitement l'assurance de la citadine qui ne s'en laissera pas compter. Pas par la diction soignée de ma mère, en tout cas. Inutile de recourir à cette vieille ficelle. Les temps ont changé. Un jour, la plupart des hommes d'État britanniques parleront comme la commissaire. Je me demande si elle est armée. Trop voyant. Comme pour la reine qui n'a jamais d'argent sur elle. Ce sont les brigadiers et leurs subalternes qui tirent sur les voyous.

Clare Allison précise qu'il s'agit d'un entretien informel pour l'aider à parfaire sa compréhension de ces événements tragiques. Trudy et Claude ne sont pas obligés de répondre à toutes les questions. Elle se trompe. Ils ont le sentiment contraire. Refuser éveillerait les soupçons. Mais si elle a une longueur d'avance, elle peut considérer leur obéissance comme encore plus suspecte. Ceux qui n'ont rien à cacher insisteraient pour prendre un avocat, à titre de précaution contre une erreur de la police ou une intrusion illicite. Lorsque nous nous installons autour de la table, je relève avec dépit l'absence de questions polies me concernant. Pour quand est ce bébé ? Garçon ou fille ?

Au lieu de quoi la commissaire ne perd pas de temps. « Peut-être pourrez-vous me faire visiter la maison quand nous aurons terminé. »

Plus un ordre qu'une suggestion. Claude acquiesce avec empressement — trop d'empressement. « Mais oui. Bien sûr ! »

L'alternative serait un mandat de perquisition. Mais il n'y a rien qui puisse intéresser la police à l'étage, hormis la crasse.

« Votre mari est bien venu hier matin vers dix heures ? demande la commissaire à Trudy.

— C'est exact. » Son ton impassible est un exemple pour Claude.

« Et il y a eu des tensions.

— Bien sûr.

— Pourquoi "bien sûr" ?

— Je vis avec son frère dans ce que John considérait comme sa maison.

— À qui appartient-elle ?

— C'est le domicile conjugal.

— Vous étiez séparés ?

— Oui.

— Si je peux me permettre, il acceptait cette séparation ? »

Trudy hésite. Il y a sans doute une bonne et une mauvaise réponse.

« Il voulait reprendre la vie commune, mais en gardant ses amies femmes.

— Vous avez des noms ?

— Non.

— Il vous parlait d'elles ?

— Non.

— Mais vous étiez au courant.

— Évidemment que oui. »

Trudy s'autorise une pointe de condescendance. Comme pour rappeler : *Je suis la seule vraie femme dans cette pièce.* Mais elle a oublié les conseils de Claude. Elle devait dire la vérité, rien que la vérité, n'ajoutant et ne soustrayant que ce qui était convenu. J'entends mon oncle s'agiter sur sa chaise.

Sans transition, Clare Allison change de sujet. « Vous avez pris un café.

— Oui.

— Tous les trois ? À cette même table ?

— Tous les trois. » La voix de Claude, sans doute inquiet à l'idée que son silence fasse mauvaise impression.

« Autre chose ?

— Comment ça ?

— Avec le café. Vous lui avez proposé autre chose ?

— Non. » Ma mère semble sur ses gardes.

« Et dans le café ?

— Je vous demande pardon ?

— Du lait ? Du sucre ?

— Il le prenait toujours sans rien. » Son pouls s'accélère.

Clare Allison reste d'un calme impénétrable. Elle se tourne vers Claude. « Donc vous lui aviez prêté de l'argent ?

— Oui.

— Combien ?

— Cinq mille livres, répondent Claude et Trudy, à contretemps.

— Par chèque?
— Du liquide, en fait. Il préférait.
— Êtes-vous déjà allé dans ce bar à smoothies de Judd Street?»

La réponse de Claude est aussi directe que la question. «Une ou deux fois. C'est John qui nous en avait parlé.
— Vous n'y étiez pas hier, je suppose.
— Non.
— Vous n'avez jamais emprunté le chapeau noir à large bord de votre frère?
— Jamais. Ce n'est pas mon style.»

Sans doute une mauvaise réponse, mais pas le temps de s'interroger. Les questions ont acquis une gravité nouvelle. Le cœur de Trudy bat de plus en plus fort. Je n'aurais pas confiance, si elle prenait la parole. Or elle la prend, d'une voix étouffée.

«Un cadeau que je lui avais fait. Il adorait ce chapeau.»

La commissaire allait passer à autre chose, mais elle revient en arrière. «C'est la seule chose qu'on voit de lui sur les caméras de surveillance. Je l'ai envoyé au laboratoire pour un test ADN.
— On ne vous a même pas proposé un thé ou un café», dit Trudy de son ton mal assuré.

La commissaire a dû refuser de la tête les deux, pour elle et pour son brigadier. «Le travail se résume presque à ça, de nos jours, reprend-elle avec nostalgie. À la police scientifique et à l'informatique. Donc, où en étions-nous... Ah oui. Il y a eu des tensions. Mais je vois dans mes notes la mention d'une dispute.»

Claude doit être en train de tirer précipitamment les

mêmes conclusions que moi. On trouvera des cheveux à lui dans le chapeau. La réponse correcte était : oui, il l'a emprunté il y a quelque temps.

« Oui, répond Trudy. Une parmi tant d'autres.

— Accepteriez-vous de me donner la...

— Il voulait que je déménage. J'ai répondu que je partirais en temps et en heure.

— Quand il est reparti en voiture, dans quel état d'esprit était-il ?

— Lamentable. Il n'allait pas bien. Ne savait plus où il en était. Il ne voulait pas vraiment que je parte. Il souhaitait reprendre la vie commune. Il a tenté de me rendre jalouse, en faisant passer Elodie pour sa maîtresse. Elle a mis les choses au point. Il n'y a jamais eu de liaison. »

Trop de détails. Elle s'efforce de redresser la situation. Mais elle parle trop vite. Elle a besoin de reprendre son souffle.

Clare Allison garde le silence et nous attendons de savoir dans quelle direction elle va s'orienter. Or elle continue sur le même sujet et formule les choses avec le plus de tact possible. « Ce n'est pas l'information que j'ai. »

Un moment d'engourdissement, comme si le son lui-même avait été assassiné. L'espace autour de moi rétrécit, Trudy semble se dégonfler. Sa colonne vertébrale s'affaisse comme celle d'une vieille femme. Je ne suis pas peu fier de moi. J'ai toujours eu des soupçons. Avec quel empressement ils ont cru Elodie. Maintenant, ils savent : à coup sûr, « les fleurs de Nurse vont faner ». Mais je ferais bien de me méfier. La commissaire a peut-être ses propres raisons de mentir. Elle fait claquer son stylo, prête à passer à la suite.

« Eh bien je suppose que je suis la plus trahie des deux, lâche ma mère d'une petite voix.

— Je suis navrée, Mrs Cairncross. Mais je le sais de source sûre. Disons juste que cette jeune femme est très compliquée. »

Je pourrais explorer la théorie selon laquelle il n'est pas mauvais pour Trudy de se retrouver dans la position de l'épouse trompée, d'avoir confirmation de sa version du mari volage. Mais je suis sous le choc ; nous le sommes tous les deux, elle et moi. Mon père, ce principe d'incertitude, s'éloigne encore plus au moment où la commissaire inflige une autre question à ma mère. Trudy répond de la même petite voix, désormais aussi tremblante que celle d'une fillette qui aurait été punie.

« Des violences ?

— Non.

— Des menaces ?

— Non.

— Ni de votre part ?

— Non.

— Et sa dépression ? Que pouvez-vous me révéler ? »

La question est gentiment tournée et doit cacher un piège. Mais Trudy n'hésite pas. Trop désemparée pour forger de nouveaux mensonges, trop convaincue par sa vérité à elle, elle s'en tient à tout ce qu'elle a déjà dit, avec ce même vocabulaire improbable. Souffrance morale constante... se déchaînait contre ceux qu'il aimait... arrachait ses poèmes à son âme. Me revient avec netteté l'image d'un défilé de hussards épuisés sous leur casque au plumet souillé. Un souvenir couleur sépia d'une émission podcastée, les guerres napoléoniennes en plusieurs épisodes. À l'époque où ma mère et moi avions la belle vie. Oh, si seulement ce sacré Bonaparte était resté à l'intérieur de ses frontières et avait continué à écrire de bonnes lois pour la France, m'étais-je dit alors.

Claude renchérit. « Il était son pire ennemi. »

Le changement d'acoustique m'indique que la commissaire s'est tournée vers lui. « Il avait d'autres ennemis, à part lui-même ? »

L'intonation est anodine. Au mieux la question est enjouée, au pire elle recèle des intentions sinistres.

« Je n'en sais rien. Nous n'avons jamais été proches.

— Parlez-moi de votre enfance, dit Clare Allison d'une voix plus chaleureuse. Enfin, si vous le voulez bien. »

Il veut bien. « J'avais trois ans de moins que lui. Il réussissait tout. Le sport, les études, avec les filles. Il me considérait comme un pauvre type. Devenu adulte, j'ai fait la seule chose dont il était incapable. Gagner de l'argent.

— Dans l'immobilier.

— Plus ou moins. »

La commissaire se retourne vers Trudy. « Cette maison est à vendre ?

— Absolument pas.

— J'ai entendu dire que si. »

Trudy ne réagit pas. Sa première initiative heureuse depuis plusieurs minutes.

Je me demande si la commissaire est en uniforme. Probablement. Son képi doit être posé près de son coude sur la table, pareil à un bec géant. Je la vois dépourvue de compassion pour les mammifères, le visage étroit, les lèvres minces, un peu coincée. Elle avance sûrement la tête en marchant, à la manière d'un pigeon. Le policier la considère sans doute comme trop à cheval sur le règlement. Promise à une carrière qui le dépasse. Elle ira loin. Soit elle a décrété que John Cairncross s'était suicidé, soit elle a de bonnes raisons de croire qu'une femme à la fin de son troisième trimestre de grossesse est une bonne couverture pour un meurtre. Tout ce qu'elle dit, la moindre de ses remarques, est sujet à interprétation. Le seul pouvoir que nous ayons est d'anticiper. Il se peut qu'elle soit, comme Claude, intelligente ou bête ou les deux à la fois. Simplement, nous n'en savons rien. Notre ignorance est son atout. Je parierais qu'elle ne soupçonne pas grand-chose, qu'elle-même ne sait rien. Qu'elle est sous l'œil de ses supérieurs. Qu'elle doit y aller doucement car cet entretien n'est pas réglementaire et pourrait compromettre toute la procédure. Qu'elle choisira ce qui l'arrange sur ce qui est vrai. Que sa carrière est son œuf, qu'elle le protège, le couve, et attend son heure.

Mais je me suis déjà trompé.

19

La suite ? Clare Allison souhaite visiter les lieux. Mauvaise idée. Mais refuser maintenant, alors qu'à notre connaissance les choses tournent mal, ne fera qu'aggraver la situation. Le policier gravit l'escalier de bois le premier, suivi de Claude, de la commissaire, puis de ma mère et moi. Au rez-de-chaussée, Clare Allison déclare que si cela ne nous ennuie pas, elle préférerait commencer par le dernier étage et « redescendre ». Trudy n'a pas envie de monter plusieurs étages. Les autres continuent leur ascension pendant que nous allons nous asseoir au salon pour réfléchir.

J'envoie mes pensées au pied léger en éclaireur, d'abord dans la bibliothèque. De la poussière de plâtre, une odeur de mort, mais un ordre relatif. À l'étage supérieur, la chambre et la salle de bains, un chaos de nature intime ; le lit, un enchevêtrement de luxure et de sommeil interrompu, le sol jonché de vêtements abandonnés par Trudy, épars ou en tas ; même chose dans la salle de bains avec des pots sans couvercle, des pommades, des sous-vêtements sales. Je me demande ce que révèle le désordre à un regard soupçonneux. Cela ne peut pas être moralement neutre. Un mépris pour les objets, pour l'ordre et la propreté, doit entrer dans la même catégorie que le rejet des lois, des valeurs, de la vie même. Qu'est-ce qu'un criminel sinon un esprit dérangé ? Cependant une chambre trop bien rangée pourrait également éveiller les soupçons. La commissaire, à l'œil aussi perçant que celui d'un rouge-gorge, inspectera les lieux du regard et repartira. Mais à un niveau subconscient, le dégoût risque de fausser son jugement.

Il y a certaines pièces des étages supérieurs où je ne suis jamais allé. Je reviens à des pensées plus terre à terre et, tel un enfant dévoué, je m'inquiète de l'état de ma mère. Son rythme cardiaque s'est ralenti. Elle semble presque calme. Peut-être fataliste. Sa vessie pleine appuie sur mon crâne. Mais elle n'a aucune intention de se lever. Elle se livre à des calculs, pensant peut-être à leur plan. Mais elle devrait bien se demander où se trouve son intérêt. Se désolidariser de Claude. Le charger d'une manière ou d'une autre. Inutile qu'ils fassent tous deux de la prison. Alors nous pourrions nous attarder ici, elle et moi. Elle ne voudra plus se débarrasser de moi quand elle se retrouvera seule dans une grande maison. Auquel cas je promets de lui pardonner. Ou de régler plus tard mes comptes avec elle.

Mais ce n'est pas le moment d'élaborer des scénarios. Je les entends redescendre. Ils passent devant la porte ouverte du salon en se dirigeant vers l'entrée. La commissaire ne peut pas s'en aller sans prendre respectueusement congé de l'épouse endeuillée. D'ailleurs Claude a ouvert la porte d'entrée, il montre à Clare Allison où son frère était garé, explique que la voiture a d'abord refusé de démarrer et que, malgré la dispute, Trudy et lui l'ont salué de la main lorsque le moteur s'est mis à tourner et que la voiture a reculé pour s'engager dans la rue. Une leçon de sincérité.

Puis lui et les deux policiers sont devant nous.

« Trudy — je peux vous appeler Trudy ? Dans un moment si horrible, vous avez été si coopérante. Si accueillante. Je ne peux pas… » La commissaire s'interrompt, distraite par quelque chose. « C'était à votre mari ? »

Elle fixe les caisses que mon père avait transportées dans la pièce et laissées devant le bow-window. Ma mère se lève. S'il doit y avoir des ennuis, autant qu'elle joue de sa taille. Et de son volume.

« Il allait se réinstaller ici. Quitter Shoreditch.

— Je peux voir ?

— Il n'y a que des livres. Mais allez-y. »

Le brigadier laisse échapper un soupir en se mettant à genoux pour ouvrir les caisses. Je suppose que la commissaire est accroupie, ressemblant non plus à un rouge-gorge, mais à un canard géant. J'ai tort de la détester. Elle représente la loi et je me situe déjà dans le camp de Hobbes. L'État doit avoir le monopole de la violence. Mais l'attitude de Clare Allison m'agace, cette façon qu'elle a de fouiller dans les affaires de mon père, dans ses livres préférés, tout en semblant se parler à elle-même, consciente que nous n'avons pas le choix et devons l'écouter.

« Ça me dépasse. Tellement triste… une voie d'accélération vers le suicide… »

Ce n'est bien sûr qu'un numéro, un prélude. Et, comme de bien entendu, elle se lève. Elle regarde sans doute Trudy. Ou moi.

« Mais tout le mystère est là : pas une seule empreinte sur

195

ce flacon d'antigel. Rien sur le gobelet. Je viens d'avoir le rapport du laboratoire. Pas une trace. Étrange.

— Ah!» dit Claude, mais Trudy le coupe. Je devrais la mettre en garde : ne pas se précipiter. Son explication vient trop vite. «Les gants. Sa maladie de peau. Il avait tellement honte de ses mains.

— Ah, les gants! s'exclame à son tour la commissaire. Vous avez raison. J'avais totalement oublié.» Elle déplie une feuille de papier. «Ceux-là?»

Ma mère s'avance pour jeter un coup d'œil. Ce doit être la photocopie d'un cliché. «Oui.

— Il n'en avait pas d'autres?

— Pas comme ceux-là. Je lui répétais qu'il n'en avait pas besoin. Personne ne faisait vraiment attention.

— Il les portait tout le temps?

— Non. Mais souvent, surtout quand il n'avait pas le moral.»

La commissaire quitte la pièce et c'est un soulagement. Nous la suivons tous dans le hall d'entrée.

«Il y a quelque chose d'amusant. Encore les collègues de la police scientifique. Ils ont appelé ce matin et ça m'est aussitôt sorti de l'esprit. J'aurais dû vous en parler. Il se passe tant d'autres choses. Les coupes budgétaires dans les commissariats. Une vague de criminalité dans les environs. Quoi qu'il en soit. L'index et le majeur du gant droit. Vous ne devinerez jamais. Un nid de minuscules araignées. Plusieurs dizaines. Et vous serez heureuse de l'apprendre, Trudy : les bébés sont tous en pleine forme. Ils rampent déjà!»

Quelqu'un ouvre la porte d'entrée, sans doute le brigadier. La commissaire sort la première. Tandis qu'elle s'éloigne, sa voix se fond dans le bruit de la circulation. « Pas moyen de me souvenir du nom latin de ces bestioles. Il y a longtemps que ce gant n'a pas vu une main. »

Le policier pose la sienne sur le bras de ma mère et prend enfin la parole, annonçant d'une voix douce en guise d'au revoir : « On revient demain matin. Pour éclaircir quelques dernières petites choses. »

20

L'heure de vérité sonne enfin. Il y a des décisions à prendre, urgentes, irréversibles, accablantes. Mais il faut d'abord à Trudy deux minutes de solitude. Nous descendons à toute vitesse au sous-sol, dans cet endroit que les Écossais appellent avec humour le *cludgie* — les gogues. Là, alors que la pression sur mon crâne s'allège et que ma mère reste accroupie quelques secondes de plus que nécessaire en soupirant, mes pensées se clarifient. Ou bien elles prennent une direction nouvelle. Je croyais que les meurtriers devaient échapper à la justice, dans l'intérêt de ma liberté. Peut-être une vision trop étroite, trop intéressée. Il y a d'autres considérations. Il se peut que ma haine pour mon oncle soit supérieure à mon amour pour ma mère. Et que le punir soit plus noble que la sauver. Mais il est sans doute possible de faire les deux.

Ces préoccupations m'accompagnent lorsque nous regagnons la cuisine. Il apparaît qu'après le départ des policiers, Claude s'est rendu compte qu'il lui fallait un scotch. L'entendant à notre entrée dans la pièce s'en servir un verre — un bruit alléchant —, Trudy se dit qu'il lui en faut un à elle aussi. Bien plein. Moitié eau du robinet, moitié alcool. En silence, mon oncle s'exécute. En silence, ils restent debout l'un en face de l'autre devant l'évier. Pas le moment de porter un toast. Ils contemplent les erreurs de l'autre, voire les leurs. À moins qu'ils ne décident de la marche à suivre. C'est la situation d'urgence qu'ils redoutaient et à laquelle ils s'étaient préparés. Ils envoient promener les dispositions prises et, sans un mot, s'entendent sur autre chose. Nos vies sont sur le point de changer. La commissaire Allison flotte au-dessus de nos têtes, dieu souriant et capricieux. Nous ne saurons que lorsqu'il sera trop tard pourquoi elle n'a pas procédé aux arrestations sur-le-champ, pourquoi elle nous a laissés seuls. Pour boucler son enquête, attendre les résultats du test ADN sur le chapeau, passer à autre chose ? Ma mère et mon oncle doivent avoir conscience que tout choix sur lequel ils s'accorderont pourrait être celui qu'elle a en tête, et qu'elle attend son heure. Tout comme il se peut que leur plan mystérieux ne lui soit pas venu à l'esprit et qu'ils aient une longueur d'avance. Une bonne raison d'agir. Au lieu de quoi, dans l'immédiat, ils préfèrent boire un verre. Peut-être leur moindre initiative rend-elle service à Clare Allison — y compris cet intermède avec un pur malt. Mais non, leur unique chance est de faire un choix radical — maintenant.

D'un geste, Trudy refuse un troisième verre. Claude est plus persévérant. Il est en quête de lucidité. Nous l'écoutons se servir — longuement, d'une main ferme —, puis nous l'écoutons déglutir, un son familier. Trudy et lui doivent se demander comment éviter une scène au moment où il leur faut un objectif commun. Au loin s'élève la plainte d'une sirène, celle d'une ambulance seulement, mais elle parle à leurs peurs. Le maillage de l'État s'étend, invisible, dans toute la ville. Difficile d'y échapper. C'est un signal, car des paroles sont enfin prononcées, un constat utile de l'évidence.

« On est mal. » La voix de ma mère est rauque et sourde.

« Où sont les passeports ?

— C'est moi qui les ai. Et l'argent ?

— Dans ma valise. »

Mais ils ne bougent pas, et l'asymétrie de leur échange — la réponse évasive de Trudy — ne provoque aucune réaction chez mon oncle. Il a presque fini son troisième verre quand le contenu de celui de Trudy arrive jusqu'à moi. Pas très sensuel, mais c'est à la hauteur de l'occasion, en bien ou en mal, à la hauteur de ce sentiment d'une fin, sans nouveau départ en vue. Je me représente une vieille route militaire traversant une vallée glaciale, des relents de roche humide et de tourbe, le bruit de l'acier et d'une progression patiente sur des pierres branlantes, le poids d'une injustice cruelle. Si loin des pentes orientées au sud, des reflets cendrés sur les grappes de nuages pourpres encadrant les collines au loin et leur camaïeu d'indigos toujours plus pâles. Je préférerais être là-bas. Mais je le concède : ce verre de scotch, mon premier, libère quelque chose. Une libération brutale : la porte ouverte au rejet et à la crainte de ce que l'esprit pourrait inventer. C'est en train de m'arriver. On me demande, je me le demande à moi-même, ce que je veux le plus à présent. J'ai droit à n'importe quoi. Le réalisme n'impose pas ses limites. Larguez les amarres, libérez l'esprit. Je peux répondre sans réfléchir : je franchis cette porte ouverte.

Des pas dans l'escalier. Stupéfaits, Trudy et Claude lèvent les yeux. La commissaire a-t-elle trouvé le moyen de s'introduire dans la maison ? Un cambrioleur a-t-il choisi la pire des nuits ? C'est une descente lente, laborieuse. Ils voient les chaussures de cuir noir, puis une taille enserrée dans un ceinturon, une chemise maculée de vomi, puis une expression terrible, à la fois douce et déterminée. Mon père porte les vêtements dans lesquels il est mort. Il a le visage exsangue, ses lèvres déjà en décomposition sont d'un noir verdâtre, ses yeux minuscules et pénétrants. Il est maintenant debout au pied de l'escalier, plus grand que dans nos souvenirs. Il est venu de la morgue nous retrouver et sait exactement ce qu'il veut. Je tremble parce que ma mère tremble. Il n'y a pas de halo, rien de fantomatique. Ce n'est pas une hallucination. C'est mon père en chair et en os, John Cairncross, en tout point ressemblant. Le gémissement de peur de ma mère agit comme une incitation, car il s'avance vers nous.

« John, dit Claude avec lassitude et une intonation montante, comme s'il pouvait réveiller ce personnage pour lui faire réintégrer sa non-existence. John, c'est nous. »

Cela semble compris. Il reste debout près de nous, dans des émanations douceâtres de glycol et de chair accueillante pour les vers. C'est ma mère qu'il fixe de ses petits yeux durs et noirs sculptés dans une roche immortelle. Ses lèvres répugnantes bougent, mais ne produisent aucun son. La langue est plus noire qu'elles. Sans quitter ma mère des yeux, il tend un bras. Sa main décharnée se referme sur la gorge de mon oncle. Trudy ne peut même pas hurler. Ces yeux sans larmes ne se détournent pas d'elle. C'est le cadeau qu'il lui fait. L'étreinte d'une seule main se resserre, sans remords. Claude tombe à genoux, il a les yeux exorbités, ses propres mains tapent et tirent en vain sur le bras de son frère. Seul un couinement lointain, pitoyable, de souris, nous dit qu'il est encore en vie. Puis il ne l'est plus. Mon père, qui n'a pas eu un regard pour lui, le lâche et attire son épouse à lui, la serre dans des bras minces et forts comme des tiges d'acier. Il approche du sien le visage de Trudy et, longuement, ardemment, l'embrasse de ses lèvres glacées en putréfaction. La terreur, le dégoût et la honte la submergent. Ce moment la tourmentera jusqu'à sa mort. Avec indifférence il relâche son étreinte et repart comme il est venu. Alors qu'il gravit encore les marches, il disparaît déjà.

Bon, on me l'a demandé. Je me le suis demandé à moi-même. Et c'est bien cela que je voulais. Un fantasme enfantin de Halloween. Par quel autre moyen commanditer une vengeance spirituelle à une époque profane ? Le gothique a été banni par la raison, les sorcières ont déserté la lande, et le matérialisme si troublant pour l'âme est tout ce qui me reste. À la radio, une voix m'a dit un jour que lorsque nous comprendrons parfaitement la matière, nous nous sentirons mieux. J'en doute. Jamais je n'aurai ce que je veux.

*

J'émerge de mes rêveries pour découvrir que nous sommes dans la salle de bains. Je n'ai aucun souvenir de notre ascension. Le son creux de la porte de la penderie, le cliquetis des cintres, une valise hissée sur le lit, puis une autre, puis le déclic à l'ouverture de leurs serrures. Elles auraient dû être prêtes, au cas où. La commissaire pourrait même venir ce soir. Ils appellent ça un plan ? J'entends des jurons et des marmonnements.

« Où est-il ? Je l'avais là. À la main ! »

Ils traversent la chambre en tous sens, ouvrent les tiroirs, entrent et sortent de la salle de bains. Trudy lâche un verre qui vole en éclats sur le sol. Elle s'en soucie à peine. Pour une raison mystérieuse, la radio est allumée. Claude s'assoit avec son ordinateur portable et grommelle : « Le train est à neuf heures. Le taxi est en route. »

Je préférerais Paris à Bruxelles. Des correspondances plus faciles. Trudy, toujours dans la salle de bains, parle toute seule : « Des dollars… des euros. »

Tout ce qu'ils disent, même les sons qu'ils produisent, sonne comme un discours d'adieu, un accord final aux accents tristes, un au revoir en chansons. C'est la fin ; nous ne reviendrons pas. Cette maison, celle de mon grand-père, où j'aurais dû grandir, est sur le point de s'évanouir. Je n'en aurai aucun souvenir. J'aimerais dresser la liste des pays sans traités d'extradition. La plupart sont inconfortables, ingouvernables, et il y fait trop chaud. J'ai entendu dire que Pékin était un endroit agréable pour les fuyards. Un village prospère de méchants anglophones, enfoui dans l'immensité surpeuplée d'une ville-monde. Un charmant endroit où se retrouver.

« Somnifères, antidouleurs », crie Claude.

Sa voix, ses intonations me poussent à agir. Il est temps que je me décide. Il ferme les valises, attache leurs lanières de cuir. Si vite. Elles devaient être déjà à moitié faites. Ce sont d'anciens modèles à deux roulettes, et non quatre. Claude les descend sur le sol.

« Laquelle ? » demande Trudy.

Je pense qu'elle brandit deux écharpes. Claude répond par

un grognement. Ce n'est qu'un semblant de normalité. Lorsqu'ils monteront dans le train, qu'ils franchiront la frontière, leur remords se manifestera. Ils n'ont plus qu'une heure devant eux et devraient se dépêcher. Trudy prétend qu'il y a un manteau qu'elle voudrait et ne retrouve pas. Claude lui assure qu'elle n'en aura pas besoin.

« Un manteau léger, dit-elle. Le blanc.

— Tu te détacheras dans la foule. Sur les caméras de surveillance. »

Elle finit par le trouver, juste au moment où Big Ben sonne huit heures et où les informations commencent. Ils ne s'interrompent pas pour écouter. Il leur reste encore quelques affaires à rassembler. Au Nigeria, des enfants brûlés vifs devant leurs parents par les gardiens de la foi. En Corée du Nord, le lancement d'une fusée. Dans le monde entier, la hausse du niveau des océans dépasse les prévisions. Mais aucun de ces titres n'a la première place. Elle est réservée à une nouvelle catastrophe. L'addition de la pauvreté et de la guerre, avec le réchauffement climatique en réserve, chasse de chez eux des millions de gens, une épopée antique sous une forme moderne, d'immenses mouvements de population, comme les fleuves en crue au printemps : des Danube, des Rhin et des Rhône de réfugiés en colère, abattus ou pleins d'espoir, entassés aux frontières contre des grilles en fil de fer barbelé, ou se noyant par milliers pour partager la prospérité de l'Occident. Si, comme le veut un nouveau cliché, c'est un exode biblique, les eaux ne s'ouvrent pas devant eux, ni celles de la mer Égée ni celles de la Manche. La vieille Europe s'agite dans son sommeil plein de rêves, elle hésite entre la pitié et la peur, entre aider et repousser. Émue et généreuse une semaine, trop raisonnable et le cœur sec la suivante, elle veut secourir, mais refuse de partager ou de perdre ce qu'elle possède.

Et, toujours, il y a des problèmes plus proches de nous. Tandis que, partout, radios et télévisions se répètent en boucle, les gens continuent de vaquer à leurs occupations. Un couple vient de finir ses bagages pour partir en voyage. Leurs valises sont fermées, mais la jeune femme veut emporter une photo de sa mère. Le lourd cadre sculpté est trop grand. Sans l'outil adéquat, impossible de récupérer la photo, or cet outil, une sorte de clé spéciale, se trouve au sous-sol, au fond d'un tiroir. Un taxi attend dehors. Le train part dans cinquante-cinq minutes, la gare est assez loin, il risque d'y avoir des files d'attente aux portiques de sécurité et pour le contrôle des passeports. L'homme va déposer une valise sur le palier et revient, un peu essoufflé. Il aurait dû faire usage des roulettes.

« Il faut absolument qu'on y aille.

— Et moi il me faut cette photo.

— Emporte-la sous ton bras. »

Mais elle a un sac à main, son manteau blanc, une valise à tirer, et moi à porter.

Avec un soupir, Claude soulève la seconde valise pour la mettre sur le palier. En s'infligeant cet effort inutile, il souligne l'urgence de la situation.

« Tu en auras pour moins d'une minute. La clé se trouve dans un coin du tiroir gauche, sur le devant. »

Il revient. « On s'en va, Trudy. Maintenant. »

L'échange est passé de la sécheresse à l'aigreur.

« Porte-la, toi.

— Hors de question.

— Claude, c'est ma mère.

— Je m'en fiche. On part. »

Mais non. Après tous mes revirements et retours en arrière, mes interprétations erronées, mon manque de lucidité, mes tentatives pour me supprimer et mon chagrin dans la passivité, je suis arrivé à une décision. Ça suffit ! Mon sac amniotique est la pochette de soie translucide, fine et solide, qui me contient. Et, avec moi, le liquide qui me protège du monde et de ses mauvais rêves. Plus maintenant. Il est temps d'entrer dans la danse. De mettre fin aux fins. Temps de commencer. Pas facile de libérer mon bras droit plaqué contre mon torse, ni de mettre mon poignet en mouvement. Mais c'est fait. Un index est l'outil adéquat pour sortir ma mère à moi de cette mauvaise passe. Avec deux semaines d'avance et des ongles tellement longs. Je fais ma première tentative pour pratiquer une incision. Mes ongles sont mous, et malgré sa finesse le tissu résiste. L'évolution connaît son métier. À tâtons, je cherche le creux laissé par mon index. Un repli, bien délimité, et c'est là que je réessaie, encore et encore jusqu'à la cinquième tentative où je sens une très légère échancrure, et, à la sixième, une rupture infime. Dans cette déchirure je réussis à insérer le bout de mon ongle, mon index, puis un deuxième doigt, un troisième, un quatrième, et enfin mon poing fermé passe au travers, suivi d'une sorte de déluge, la cataracte du début de la vie. Ma protection liquide a disparu.

À présent, je ne saurai jamais comment l'affaire de la photo, ou celle du train de neuf heures, aurait été résolue.

Claude a quitté la pièce et attend en haut de l'escalier. Il doit tenir une valise dans chaque main, prêt à descendre.

Ma mère l'appelle d'un ton à la fois plaintif et déçu. « Oh, Claude…

— Quoi encore ?

— La poche des eaux. Elle s'est rompue !

— On s'en occupera plus tard. Dans le train. »

Il doit croire qu'il s'agit d'une ruse, de la poursuite de leur discussion, une forme repoussante de trouble féminin qu'il est trop pressé pour prendre en compte.

D'un haussement d'épaules je me débarrasse du sac amniotique ; ma première expérience du déshabillage. Je suis maladroit. Trois dimensions, ça fait trop à la fois. Je pressens que le monde concret va représenter un défi. Mon enveloppe abandonnée reste entortillée autour de mes genoux. Aucune importance. Une nouvelle tâche m'attend juste sous ma tête. J'ignore comment je sais ce que j'ai à faire. C'est un mystère. Certaines connaissances sont tout simplement innées. Dans mon cas, il y a celle-ci, et quelques vagues notions de métrique. Je ne suis pas une ardoise vierge, en fin de compte. Je porte la main à ma joue et la glisse le long de la paroi utérine pour atteindre le col de l'utérus. Il est tout contre l'arrière de mon crâne. C'est cette ouverture sur le monde que je palpe délicatement avec mes doigts minuscules, et aussitôt, comme si un sort avait été jeté, le pouvoir absolu de ma mère est défié, les parois autour de moi ondulent, puis tremblent et m'enserrent à nouveau. C'est un séisme, c'est un géant qui s'agite dans sa grotte. Tel l'apprenti sorcier, je suis horrifié, puis écrasé par l'onde de choc que j'ai déchaînée. J'aurais dû attendre mon terme. Seul un imbécile irait réveiller des forces pareilles. Au loin j'entends ma mère crier. Peut-être un appel au secours, à moins que ce ne soit un hurlement de triomphe ou de douleur. Et là je la sens au sommet de mon crâne, ma couronne : une dilatation de un centimètre. Impossible de revenir en arrière.

Trudy s'est traînée sur le lit. Claude est quelque part près de la porte. Elle est pantelante, surexcitée, et terrifiée.

« Ça commence. C'est si rapide ! Appelle une ambulance. »

Il ne dit rien pendant quelques instants, puis se contente de demander : « Où est mon passeport ? »

J'ai échoué. Je l'ai sous-estimé. L'intérêt de naître en avance était de ruiner les chances de Claude. Je savais qu'il était source de problèmes. Mais je croyais qu'il aimait ma mère et resterait avec elle. Je commence à comprendre de quel courage elle a fait preuve. Avec en bruit de fond le tintement des pièces de monnaie contre le tube de mascara tandis que Claude fouille dans son sac à main, elle répond : « Je l'ai caché. En bas. Au cas où. »

Il réfléchit. Il a été promoteur immobilier, propriétaire d'une tour à Cardiff, et il sait mener une négociation. « Dis-moi où est ce passeport et je t'appelle une ambulance. Ensuite je m'en irai. »

Ma mère prend la parole avec prudence. Elle surveille son état, attendant avec un mélange d'impatience et d'appréhension mêlées la contraction suivante. « Non. Si je dois être arrêtée, toi aussi.

— Très bien. Pas d'ambulance.

— J'appellerai moi-même. Dès que… »

Dès que la deuxième contraction, plus forte que la première, sera passée. À nouveau, un cri involontaire, et tout son corps se tend pendant que Claude traverse la pièce pour s'approcher du lit, de la table de chevet, et débrancher le téléphone. Je suis violemment comprimé, puis soulevé, aspiré en arrière et vers le bas, à quelques centimètres de mon lieu de repos. Un cercle d'acier resserre son étreinte autour de mon crâne. Nos trois destins sont broyés par la même mâchoire.

Lorsque la contraction s'atténue, Claude demande mécaniquement, tel un agent de la police des frontières : « Passeport ? »

Elle fait non de la tête, attend d'avoir repris son souffle. Chacun tient plus ou moins l'autre à sa merci.

Elle récupère et dit posément : « Tu vas devoir jouer les sages-femmes.

— Ce n'est pas mon bébé.

— Ce n'est jamais le bébé de la sage-femme. »

Elle est effrayée, mais peut le terrifier par des consignes.

« Quand il sortira, il sera sur le ventre. Tu le prendras à deux mains, très doucement, en lui soutenant la tête, et tu le poseras sur moi. Toujours à plat ventre, entre mes seins. Près des battements de mon cœur. Ne te soucie pas du cordon. Il s'arrêtera de battre tout seul et le bébé se mettra à respirer. Tu l'envelopperas dans deux ou trois serviettes pour le tenir au chaud. Ensuite on attendra.

— Attendre ? Mais attendre quoi, nom d'un chien ?

— L'expulsion du placenta. »

S'il a grimacé ou eu un haut-le-cœur, je ne le saurai pas. D'après ses calculs, il croit peut-être pouvoir en finir rapidement et attraper le train suivant.

J'écoute attentivement, avec l'intention d'apprendre ce

que je dois faire. Me réfugier dans une serviette. Respirer. Sans rien dire. Mais ce mot de « bébé »... Ce sera forcément du bleu ou du rose !

« Donc, va chercher une pile de serviettes-éponges. Il y aura du sang. Récure-toi les mains avec la brosse à ongles et beaucoup de savon. »

Si désorienté, si loin d'un rivage accueillant, un homme sans papiers qui devrait avoir pris la fuite. Il tourne les talons pour aller faire ce qu'on lui a dit.

Et cela continue, une contraction après l'autre, des cris, des plaintes, et des suppliques pour que cette torture cesse. Une progression impitoyable, vers une expulsion implacable. Le cordon se déroule derrière moi tandis que je poursuis ma lente avancée. Vers la sortie. Les forces sans pitié de la nature ont l'intention de me laminer. Je passe par un conduit où je sais que mon oncle s'est aventuré trop souvent dans l'autre sens. Cela ne m'impressionne pas. Ce qui n'était pour lui qu'un vagin devient le fier canal de ma naissance, mon canal de Panama, et je suis plus grand que ne l'était Claude, un imposant vaisseau de gènes, avec toute la dignité conférée par sa lenteur, et sa cargaison d'informations immémoriales. Aucun pénis ordinaire ne peut rivaliser. Pendant quelque temps je suis sourd, aveugle et muet, et j'ai mal partout. Mais ma mère hurlante souffre encore plus en faisant le sacrifice auquel ont consenti toutes les mères pour leur nourrisson braillard à grosse tête.

L'émergence d'un corps visqueux, piaillant, d'un blanc cireux, et me voici, posé nu sur le royaume. Comme le robuste Cortés (souvenir d'un poème récité par mon père), je suis ébloui. Je contemple, et avec quel étonnement, quelles conjectures, la surface moelleuse d'une serviette-éponge bleue. Le bleu. J'ai toujours su — verbalement au moins —, j'ai toujours pu déduire ce qu'est le bleu : la mer, le ciel, le lapis-lazuli, les gentianes — de pures abstractions. Là, je l'ai enfin, il m'appartient et me possède. Plus magnifique que je n'osais le croire. Ce n'est qu'un début, à l'extrémité indigo du spectre.

Mon fidèle cordon, ma bouée de sauvetage qui a failli me tuer, meurt soudain de sa bonne mort. Je respire. Délicieux. Mon conseil aux nouveau-nés : ne pleurez pas, regardez autour de vous, goûtez l'air. Je suis à Londres. L'air a bon goût. Chaque son se détache, éclatant, les aigus poussés à fond. Cette serviette chatoyante dont le bleu irradie me rappelle la mosquée Goharshad en Iran, devant laquelle mon père avait pleuré à l'aube. Ma mère s'agite et je tourne la tête. J'aperçois Claude. Plus petit que je ne me l'imaginais, les épaules étroites et l'air rusé. Impossible de ne pas voir son expression dégoûtée. Le soleil du soir à travers le feuillage d'un platane projette un motif changeant au plafond. Ah, la joie d'étirer les jambes, de me dire à la vue du réveil sur la table de chevet que jamais ils n'auront leur train. Mais j'ai peu de temps pour savourer l'instant. Ma cage thoracique encore souple est tenue serrée par les mains lâches d'un tueur, et on me dépose sur le ventre accueillant, d'une douceur neigeuse, de sa complice.

Les battements de son cœur sont lointains, assourdis, familiers, comme un choral ancien que l'on n'aurait pas écouté pendant la moitié d'une vie. La musique est jouée andante, un délicat bruit de pas qui me conduit vers l'authentique porte ouverte. Je ne nie pas ressentir de l'appréhension.

Mais je suis à bout de forces, un marin naufragé, échoué sur une plage déserte. Je sombre, alors même que l'océan me lèche les chevilles.

*

Trudy et moi avons dû faire un somme. J'ignore combien de minutes se sont écoulées avant que nous n'entendions la sonnette. Un son strident. Claude est encore là, espérant toujours trouver son passeport. Il a dû le chercher en bas. Il va vers le visiophone. Il jette un coup d'œil à l'écran et détourne les yeux. Aucune surprise à attendre.

« Ils sont quatre », dit-il, surtout à lui-même.

Nous méditons la nouvelle. Tout est fini. Ce n'est pas un dénouement heureux. Ça ne pouvait pas l'être.

Ma mère me déplace de façon à ce que nous puissions échanger un long regard. Le moment que j'attendais. Mon père avait raison : un visage ravissant. La chevelure plus sombre que je ne pensais, les yeux d'un vert plus pâle, les joues encore empourprées par ses efforts récents, le nez minuscule, en effet. Je crois voir le monde entier dans ce visage. Magnifique. Aimant. Meurtrier. J'entends Claude traverser la pièce d'un pas résigné pour descendre. Pas de réplique toute prête. Même durant ce moment de repos, alors que je dévore longuement ma mère des yeux, je pense au taxi qui attend à la porte. Quel gâchis. Il est temps de lui dire de partir. Je pense à notre cellule de prison — j'espère qu'elle ne sera pas trop petite —, et derrière sa lourde porte, des marches usées s'élèvent : d'abord le chagrin, puis la justice, puis le sens. Le reste n'est que chaos.